William Wharton
RUBIO

W ROKU 2003 UKAŻĄ SIĘ W TEJ SERII M.IN.

ŠALAMANĐRA

William Wharton
RUBIO

Przełożył Zbigniew Batko

REBIS

DOM WYDAWNICZY REBIS
POZNAŃ 2003

Tytuł oryginału
Rubio

Copyright © 2002 by William Wharton
All rights reserved

Copyright © for the Polish edition by REBIS Publishing House Ltd.,
Poznań 2003

Redaktor
Katarzyna Raźniewska

Opracowanie graficzne serii i projekt okładki
Lucyna Talejko-Kwiatkowska

Fotografia na okładce
Piotr Chojnacki

Wydanie I

ISBN 83-7301-314-8 (opr. brosz.)

Dom Wydawniczy REBIS Sp. z o.o.
ul. Żmigrodzka 41/49, 60-171 Poznań
tel. 867-47-08, 867-81-40; fax 867-37-74
e-mail: rebis@rebis.com.pl
www.rebis.com.pl
Fotoskład: Z.P. *Akapit*, Poznań, ul. Czernichowska 50B, tel. 87-93-888

Ślady ptaków na wilgotnym piasku,
Puste niebo.
Coś żyło, odeszło,
Coś pozostało.

Tym,
którzy nie wymagają konkretnych zakończeń

Rozdział I

Wrzucam dwójkę; przednie koła zsuwają się w łożysko strumienia. Zwalniam z wyczuciem hamulec i naciskam pedał gazu. Lewe tylne koło buksuje, grzęźnie na dobre. Żwir grzechocze głośno o nadkola. Nie przejmuję się tym, że mogę utknąć; nigdzie mi się nie śpieszy.

Jestem zaledwie dwadzieścia kilometrów od morza, a zdążyłem już przejechać przez ten strumień co najmniej dziesięć razy.

Przede mną wynurza się zza zakrętu osiołek, więc zwalniam, żeby go nie spłoszyć. Na grzbiecie osła siedzi mały Hiszpan, „po damsku", dyndając w powietrzu nogami. Macha do mnie kijkiem.

Spoglądam na błękitne niebo. Jest luty. Zaledwie trzy tygodnie temu, kiedy byłem w Paryżu, padał śnieg. Trudno w to uwierzyć, nawet mnie, Kalifornijczykowi.

Stado kóz wysypuje się przede mną na drogę. Zjeżdżam na pobocze, wrzucam luz, zaciągam ręczny hamulec.

Zsuwam się z siedzenia, zeskakuję na skraj piaszczystej drogi i schodzę po zboczu. Zarośla wydzielają nikłą, zmysłową woń. Staję obok oliwki i przyglądam się suchej i lśniącej w słońcu ciemnej korze. Patrzę w górę, na plątaninę gałęzi; młode, twarde oliwki zielenią się w srebrzystym listowiu.

Wdrapuję się po pokrytym miałkim, żółtym piaskiem i kamykami stoku z powrotem na drogę. Mój czerwony volkswagen z przyczepą otacza stado brązowych i czarnych kóz z długimi szyjami; ich rozkołysane, miękkie, żółtawe wymiona niemal szorują po zapylonej drodze.

Wsiadam z powrotem do samochodu, zwalniam hamulec, wrzucam jedynkę i zaczynam mozolnie pełznąć pod górę.

Za kolejnym zakrętem ukazują się na tle gór stłoczone białe domy. Faliste wzgórza wybrzeża spotykają się w tym miejscu z innym pasmem, ciągnącym się u podnóży Sierra Nevada. W głębi widać tępo zakończoną wieżę kościółka. Nie ryzykuję wjazdu do miasteczka; uliczki wydają mi się zbyt wąskie. Parkuję i idę zwiedzać miasto. Czuję się, jakbym stracił wrażliwość na kolory. Ulice obramowane są ozdobnymi, wijącymi się jak węże krawężnikami z czarnych i białych, wydobytych z rzeki otoczaków. Niskie białe domki zdają się wyrastać wprost z wąziutkich chodników. Większość domów pomalowana jest od dołu na czarno; wygląda to tak, jakby znaczyły je głębokie cienie. Podobne czarne pasy okalają drzwi i okna.

Jedyną barwą jest świeża, żółtawa zieleń trawy rosnącej między kamieniami, którymi wybrukowane są ulice. Kopuła nieba zawieszona jest wysoko, błękit blady; to właściwie tylko zagęszczona biel.

Tu i ówdzie widać na zalanej słońcem ulicy kobiety w czerni. Większość niesie coś na głowie lub dźwiga jakieś brzemię, opierając je na biodrze: przeważnie są to gładkie, zroszone wodą dzbany lub wiązki drzewa na opał, czasami dziecko. Ruszam w głąb ulicy; w pewnej odległości skrada się za mną gromadka zaciekawionych malców. Słyszę słowo „Rubio"; tak samo nazywali mnie kiedyś w Meksyku, gdzie spędzaliśmy z Gerry miesiąc miodowy.

Przed domami siedzą na progach lub stoją oparci o ścianę starcy. Progi są na poziomie ziemi, więc kolana siedzących staruszków sterczą prawie na wysokości ich głów.

Widzę przed sobą plamę słonecznego światła na białej ścianie. Idę w tamtą stronę i wychodzę na podłużny placyk z kilkoma drzewkami pomarańczowymi rosnącymi wokół fontanny. Po lewej stronie stoi budynek z wieżyczką; odczekuję, aż zegar obwieści południe.

Wałęsam się tak po miasteczku około godziny. Wszystkie ulice są prawie takie same: wąskie, kręte, ciągną się wzdłuż nich domy z głębokimi otworami okien, obramowane kamiennymi mozaikami. Mury mają co najmniej dwie stopy grubości.

Wracam na otwartą przestrzeń z fontanną w środku. Słońce skrzy się w tryskającym w górę strumieniu wody. Niżej, w jej pomarszczonym lustrze, odbija się świeża zieleń drzew. Wsłuchuję się w cichy poszum wiatru poruszającego ich wierzchołkami i w szmer spadającej wody. Myślę, że może to być miejsce, jakiego szukam.

Postanawiam rozbić obozowisko obok miejsca, w którym po raz pierwszy przeciąłem strumień, około dwóch kilometrów stąd, u stóp wzgórza. Wokół mojego volkswagena roi się dzieciarnia, pchają, ciągną, zaglądają przez okna do środka. Przeciskam się przez ten tłumek, wsiadam, naciskam kilkakrotnie gaz do dechy i trąbię klaksonem.

W końcu zawracam i zjeżdżam po stoku. Kilku chłopców próbuje biec za samochodem, ale w końcu dają za wygraną.

Skręcam w prawo i jadę wzdłuż strumienia. Idzie ciężko, ale po jakichś pięćdziesięciu jardach znajduję wreszcie piaszczystą, w miarę równą łachę. Wysiadam, otwieram boczne drzwi przyczepy, zapalam gaz na kuchence i nastawiam wodę.

Przyczepa jest wyposażona w kuchenkę, toaletę, małą lodówkę i zbiornik na wodę. Łóżko jest dla mnie trochę za krótkie, ale jakoś sobie radzę.

Zdejmuję podkoszulek, buty, skarpetki, dżinsy i przeciągam się leniwie. Czuję, jak stopniowo rozluźniają się napięte mięśnie karku i ramion. Jest spokój, promienie słońca odbijają się od boku mojej przyczepy. Strumień ma tu zaledwie stopę głębokości; padam plackiem na brzuch, przewracam się na plecy i poddaję się pieszczocie lodowato zimnej wody. Oślepiająco jasne niebo rozmazuje mi się w oczach. Zaczynam pełznąć w stronę gorącego piasku.

Woda już się zagotowała. Dolewam odrobinę zimnej i zmywam naczynia. Potem wkładam czyste ubranie, zamykam przyczepę i wracam do miasteczka. Umieram z głodu.

Nie mogę znaleźć porządnej restauracji, wchodzę więc do pierwszego napotkanego baru i biorę kilka kanapek i butelkę piwa. W barze jest chłodno, mroczno, wypełnia go zapach spalonego drewna i spoconych ciał. Wzdłuż jednej ściany stoją stoły, więc biorę krzesło i siadam przy jednym z nich. Oprócz mnie jest tu czterech mężczyzn. Nie gapią się na mnie ostentacyjnie, ale wiem, że jestem obserwowany. Piwo przypomina mi francuskie; jest cienkie i do tego niezbyt zimne.

Wychodzę na ulicę. Słońce przypieka jeszcze mocno. Idę przez miasto w stronę gór. Ulice są właściwie opustoszałe, ale z domów dobiega brzęk sztućców i talerzy. Dochodzę do drugiego krańca miasta, gdzie kończą się kamienne obramowania, ale się nie zatrzymuję.

Jedno jest pewne: to zupełnie inny świat niż Paryż. To właśnie tam, w Klubie Amerykańskim, zacząłem myśleć o tej wyprawie. Grałem w ping-ponga z Billem Kingiem, było późne, mroczne i dżdżyste popołudnie, lało od czterech dni. Minęło zaledwie parę dni od świąt Bożego Narodzenia. Cały ranek spędziłem w swoim hotelowym pokoju, pisząc list do Gerry; użalałem się nad sobą, choć wiedziałem, że ona nie ma najmniejszej ochoty wysłuchiwać znów moich biadoleń.

Tak czy inaczej przy stole pingpongowym trułem Kingowi, jaki to okropny jest Paryż. Za dużo samochodów, wciąż deszcz, ciemno, do tego ten pieprzony francuski i tak dalej. I wtedy King zaczął mi opowiadać o górskich wioskach w południowej Hiszpanii. Spędził tam zimą pół roku, włóczył się też po północnym wybrzeżu Afryki. King jest typem hipisa i ćpuna: ma brodę, paciorki i długie włosy, jego ulubione zajęcie to wylegiwanie się na trawie. Mimo to dawał mi porządnie w kość w ping-ponga i to bez najmniejszego wysiłku.

Dokończyliśmy seta i poszliśmy na górę do biblioteki, gdzie pokazał mi na mapie wszystkie znane sobie miejsca. Dwa tygodnie później kupiłem okazyjnie samochód od urlopującego nauczyciela z Kalifornii. Volkswagen był praktycznie nowy, miał na liczniku tylko trzydzieści pięć tysięcy kilometrów i kosztował dwa i pół tysiąca dolców. Jadąc do Hiszpanii, mieszkałem w nim przez cały czas. Poczułem się w końcu naprawdę wolny.

Idąc tak, znalazłem się kilometr za miastem. Gospodarstwa są opustoszałe, choć widać, że pola uprawia się tu nadal. W większości domów w miejscu drzwi i okien zieją czarne dziury. Przy niektórych bieleją wielkie kręgi ułożone z kamieni. Domyślam się, że są to klepiska. Mijam po drodze kilka domów, które są w naprawdę kiepskim stanie. Zaciekawia mnie jeden stojący na wzgórzu, mniej więcej sto metrów od drogi. Idę tam na skróty, przecinając gaj oliwny. Z bliska widzę, że to jedna wielka ruina, trzy izdebki, zaduch jak w zagrodzie dla kóz. Drzwi, wyrwane z zawiasów i oparte w poprzek o futrynę, zagradzają wejście. Strop jest bardzo nisko, sięgam głową krokwi. Muszę się schylać, żeby się rozejrzeć. W oknach nie ma ram ani szyb.

Ale za to jaki stąd widok! Na stoku rozpościerają się czerwono-żółte, zaorane pola upstrzone drzewami oliwnymi.

Wychodzę na zewnątrz. Także tu bieleje obok domu wielki kamienny krąg. Odmierzam odległość do środka: klepisko ma trzydzieści stóp średnicy. Staję w środku. Wszystko zalane jest późnopopołudniowym słońcem. Hen, daleko, za morzem, widzę góry afrykańskiego wybrzeża. Boże, jakie to wszystko piękne! Jak można być nieszczęśliwym, żyjąc w tak pięknym świecie? Stoję tak długo, aż zaczyna się ściemniać, w końcu wracam do miasteczka.

O tej porze sklepy są otwarte. Kupuję zapas żywności na kilka dni. Muszę się też ostrzyc i ogolić. Znajduję zakład fryzjerski, do którego schodzi się po dwóch stopniach. Nad staroświeckim fotelem wisi pojedyncza, goła żarówka. Wzdłuż ścian stoi kilka krzeseł z wyplatanymi siedzeniami. Siadam na jednym z nich i czekam.

Przed lustrem siedzi staruszek, z łysiną bielszą od twarzy. Fryzjer goli go płynnymi, półkolistymi pociągnięciami brzytwy z masywnym uchwytem. Wreszcie kończy, myje pędzel i brzytwę nad umywalką w głębi zakładu. Stary wstaje i zaczyna grzebać w powyciąganych kieszeniach marynarki w poszukiwaniu drobnych. Fryzjer wrzuca monety do szufladki niewielkiego stolika przy umywalce.

Po dwóch tygodniach pobytu w Hiszpanii odświeżyłem nieco w pamięci moją szkolną i meksykańską hiszpańszczyznę, ale nadal muszę się dobrze zastanowić, zanim wypowiem zdanie. Mówię fryzjerowi, żeby ostrzygł mnie bardzo krótko i ogolił. Sadowię się na krześle. Fryzjer utyka mi prześcieradło wokół szyi i zaczyna mnie strzyc ręczną maszynką. Tymczasem staruszek bierze kapelusz z wieszaka i wkłada go na głowę. Zatrzymuje się jeszcze na chwilę przed lustrem, przeciąga dłonią po twarzy, potem odwraca się i wychodzi po stopniach na ulicę.

Dobrze jest się odprężyć. Fryzjer ma szczupłe, delikatne, ładnie pachnące dłonie. Próbowałem kiedyś w Paryżu zapuścić brodę, ale nie mogłem się do niej przyzwyczaić. Miałem wrażenie, jakbym nosił tupecik przyklejony do twarzy. Nie czuję się też dobrze z długimi włosami. Przetłuszczają się i opadają mi w strąkach na twarz.

Mówię fryzjerowi, żeby ostrzygł mnie jeszcze krócej. Nie jest zadowolony, ale w końcu osiągamy efekt, o jaki mi chodziło. Potem następuje golenie, przy użyciu zimnej wody. Jestem ciekaw, czy fryzjer wie coś o tych starych, zrujnowanych gospodarstwach za miastem. Pytam go o to; zdejmuje prześcieradło i wzrusza ramionami, po czym mówi, cedząc słowa:

– Wszyscy ściągnęli przed laty do miasta, señor. Tam nie ma wody ani elektryczności.

Strzyżenie z goleniem kosztuje trzydzieści peset. Daję mu pięćdziesiąt. Wciąż interesuje mnie sprawa opuszczonych gospodarstw, ale czekam, aż wrzuci pieniądze do szufladki.

– A więc nikt tam teraz nie mieszka?

Potrząsa przecząco głową.

– Do kogo wobec tego należą te domy? Kto jest właścicielem?

Czekam. Fryzjer stoi plecami do mnie i patrzy na moje odbicie w lustrze.

– To jest ziemia Vincentiego, señor.

Odwraca się. Biorę swoje sprawunki i kieruję się w stronę wyjścia. Fryzjer idzie za mną.

– Dom señora Vincentiego jest przy drodze, w pobliżu kościoła. Ten z niebieskimi drzwiami.

Będąc już na ulicy, oglądam się za siebie. Fryzjer uśmiecha się, odwzajemniam uśmiech. To bardzo miłe z jego strony, że udzielił mi informacji. Za miastem schodzę do strumienia, przy którym stoi mój samochód. Czuję, że sprawy przybierają pomyślny obrót.

Rozdział II

Przez cały tydzień włóczę się w okolicach miasteczka. Teren jest trudny, pagórkowaty, więc wieczorami jestem tak zmęczony, że nie mam problemów z zaśnięciem. Znalazłem ponad trzydzieści starych, opuszczonych gospodarstw; z niektórych pozostały już tylko zmurszałe, rozsypujące się ściany. Wciąż jednak wracam do tego na wzgórzu, które zobaczyłem pierwszego wieczoru. Rozciąga się stąd najpiękniejszy widok, a poza tym domostwo jest oddalone od drogi.

W czwartek wczesnym popołudniem udaję się w stronę kościoła. Zatrzymuję się przed dwupiętrowym domem przy końcu ulicy. Jest to jedyny dom z niebieskimi drzwiami. Muszę pukać aż dwukrotnie, żeby w końcu otworzyła mi starsza kobieta w czerni. Wychyla zza drzwi tylko głowę.

– Przepraszam panią, czy tu mieszka señor Vincenti?

Kobieta uchyla drzwi trochę szerzej. Mruży oczy w oślepiającym słońcu.

– Señora Vincentiego nie ma w domu, señor.

Chce zamknąć drzwi. Robię krok naprzód.

– Przepraszam, señora, a kiedy będę mógł go zastać?

– Jutro, señor. Señor Vincenti wraca z Malagi autobusem o dziesiątej.

Dziękuję jej. Kobieta zamyka drzwi, a ja ruszam ulicą w dół. Po drodze wstępuję do baru, kupuję trochę wędzonej ryby i kieliszek wina. Wino kosztuje tu trzy pesety, a ryba pięć peset za sztukę. Peseta to około dwóch centów amerykańskich, nawet uwzględniając dewaluację dolara. W Torremolinos dowiedziałem się, że robotnik zarabia dziennie zaledwie tysiąc peset i to ciężko harując. Finansowo dam sobie zatem radę.

Przy podziale majątku ja wziąłem dom i samochód. Gerry domek letni w Arrowhead i dziesięć tysięcy, które mieliśmy na koncie w banku. Spłaciłem dom i wynająłem go za osiemset dolarów miesięcznie. Odliczając podatek, miałem na rękę prawie sześćset pięćdziesiąt. Do tego dochodziło dwadzieścia tysięcy z funduszu emerytalnego. A jakież mogłem mieć potrzeby jako cholerny emeryt?

Początkowo wydawało mi się dziwne, że nie muszę wstawać i jechać co rano do roboty. Po siedemnastu latach nauki i dziewięciu pracy zawodowej trudno mi się było przyzwyczaić do takiej raptownej zmiany. Nie wiedziałem, co robić z czasem. Po dwudziestu sześciu latach wykonywania cudzych poleceń trudno wziąć własne sprawy w swoje ręce. A tak nawiasem mówiąc, do czego właściwie doszedłem?

Łażę po miasteczku aż do zmierzchu. Nie ma tu pewnie więcej niż dwustu mieszkańców. Jest też tylko kilka sklepów, bar i fryzjer. Wracam do swojej przyczepy i wcześnie kładę się spać. Ale ciężko zasnąć w taką „białą noc". Boże, jak trudno czasem pozbyć się pewnych natrętnych myśli! Krążą obsesyjnie wokół jednej sprawy i nic nie można na to poradzić.

Po śniadaniu wyruszam znów do Vincentiego. Rano miasteczko wyraźnie się ożywia. Słychać nawoływania sprzedawców ryb, lutujący garnki druciarz siedzi na ulicy i wali młotkiem, brzęczą tępo ośle dzwoneczki. Nad wodą, gdzie kobiety piorą bieliznę, jakaś dziewczyna śpiewa monotonnym, donośnym głosem flamenco.

Parę minut po jedenastej pukam znów do niebieskich drzwi. Ta sama starsza kobieta skinieniem głowy zaprasza mnie do środka i prowadzi do klitki na końcu długiego korytarza. Siedzi tam za zagraconym biurkiem jakiś mężczyzna. Domyślam się, że to Vincenti, i przedstawiam się. Vincenti podaje mi dużą, wilgotną dłoń. Ma na sobie wymięty ciemny garnitur i jasnoniebieską koszulę, do tego rozluźniony krawat. Siada i wskazuje mi krzesło. Przystawiam je do biurka. Vincenti ociera czoło złożoną chusteczką.

– Bardzo gorący dzień, señor, prawda? Dziś w Maladze bardzo gorąco.– Jego hiszpański jest skrótowy i jakby lekko zdeformowany.

Nie chcę mu zbyt długo zawracać głowy, więc pytam go z miejsca, czy rzeczywiście gospodarstwo na pagórku należy do niego. Początkowo nie może się połapać, o które gospodarstwo chodzi, ale w końcu potwierdza, że to jego własność.

– Chciałbym je kupić, señor.

Patrzy na swoją złożoną chusteczkę, raczej mokrą niż brudną. Odchyla się do tyłu w swoim starym, bujanym fotelu, który skrzypi niemiłosiernie, po czym chowa chusteczkę do kieszeni marynarki i przechyla się znów do przodu. Pod sufitem brzęczą muchy.

– Ten dom jest przypisany do większego obszaru. Będzie bardzo trudno sprzedać go oddzielnie.

Znowu odchyla się do tyłu. Zaplata ręce na brzuchu, potem zaczyna czyścić paznokcie. Wydłubuje brud paznokciem wskazującego palca prawej ręki i pstryka nim w powietrze. Czekam. Vincenti pochyla się nad biurkiem, sięga do szuflady i wyciąga stamtąd pudełko cygar.

Zaczynają się targi. W pudełku są tylko cztery cygara, każde innej marki. Wybieram najcieńsze, bo wygląda również na najsłabsze. Kiedy ściągamy banderolki i przycinamy końcówki, nie pada ani jedno słowo. Podaję mu przez biurko ognia zapalniczką, którą dostałem od Gerry w dniu trzydziestych urodzin. Mam ją zawsze przy sobie, choć niby próbuję rzucić palenie. Patrzę mu w oczy, przypalam sobie cygaro i gaszę zapalniczkę.

– Chciałbym kupić tylko dom z jakimś hektarem ziemi przylegającym do drogi.

Cygaro jest stare i zwietrzałe. Nie paliłem od dwóch miesięcy, więc już po drugim dymku zaczyna mi się kręcić w głowie.

– No nie wiem, señor.

Wciąż wydłubuje brud spod paznokci, mimo że trzyma w palcach cygaro. Głowę ma spuszczoną, ale wiem, że mnie obserwuje.

– Musielibyśmy dokonać pomiarów i załatwić formalności w Madrycie i Maladze, señor.

Pociera kciukiem o palec wskazujący i rozpiera się wygodniej w fotelu. Potem podciąga nogawkę i opiera kolano o krawędź biurka. Obłok dymu zawisa w powietrzu razem z chmarą much.

– Być może... ewentualnie... ale to będzie trudne.

– Mogę mieć pieniądze w ciągu tygodnia.

Obserwuję jego twarz; nie można z niej odczytać zbyt wiele.

– Naprawdę, señor, ja nie chcę niczego sprzedawać. Jeśli sprzedam, to tylko dlatego, że wciąż muszę to wszystko remontować. A to kosztuje...

Znów pociera kciukiem o palec wskazujący.

– Señor Vincenti, ile pan chce za dom z hektarem ziemi?

Opuszcza kolano i nachyla się w stronę biurka.

– Co najmniej pięćset tysięcy peset, señor.

Obliczam szybko w myślach; to około dziesięciu tysięcy dolarów. Facet najwyraźniej bada grunt. Potrząsam głową i postanawiam zacząć od połowy tej sumy.

– Señor Vincenti, to trochę za dużo jak za dom bez wody i elektryczności. Mogę dać dwieście pięćdziesiąt tysięcy peset w gotówce, od ręki.

Vincenti wstaje, bierze głęboki oddech, zapina dolny guzik marynarki, ale nie wychodzi zza biurka. Jestem pewien, że dobijemy targu. Siedzę i palę spokojnie tanie cygaro. Vincenti siada z powrotem.

Po długich targach – Boże, jak ja tego nie cierpię! – staje na trzystu pięćdziesięciu tysiącach. Mam też zapłacić za pomiary gruntów i sporządzenie dokumentacji. Wypijamy po kieliszku pachnącego piżmem wina, żeby uczcić transakcję. Vincenti mówi, że załatwi geometrę, a kiedy ten skończy robotę, spiszemy umowę. Znów uścisk dłoni i gospodarz odprowadza mnie do drzwi frontowych.

To wspaniałe uczucie znaleźć się na świeżym powietrzu. Wrzucam wilgotne, zgasłe cygaro do rowu. Idę ulicą jak gdyby nigdy nic, ale czuję się naprawdę podekscytowany. Jestem urodzonym specem od wicia gniazdek i poczułem się naprawdę wolny dopiero wtedy, kiedy wynająłem nasz dom w Sherman Oaks i wyjechałem. Nic na to nie poradzę, taką już mam naturę.

Rozdział III

Przyglądam się pomiarom; nie mam nic lepszego do roboty. Muszę powiedzieć, że ci faceci nieprawdopodobnie się guzdrzą. Wytyczenie ośmiu działek i wbicie kołków zajmuje im tydzień. Nie ma w nich żadnego zapału, żadnej zawodowej dumy. Po prostu odwalają robotę, przedłużając to w nieskończoność. Kiedy zostaje wbity ostatni kołek, wracam do Vincentiego. Dokumenty są gotowe. Udaję, że je studiuję: są bardzo zawiłe i wyglądają niezwykle oficjalnie. Chryste, zapłacę chyba z półtora tysiąca peset za same znaczki! Wyjmuję pieniądze, które przelano mi do banku w Maladze. Jest tego gruby plik. Największy nominał w Hiszpanii to odpowiednik dwudziestu dolarów. Vincenti liczy banknoty i podpisujemy umowę. Składam swoją kopię, wtykam ją do kieszeni, ściskam mu dłoń i wychodzę.

Wracam przez miasteczko do samochodu. Dzień jest ciepły, powietrze czyste, rozrzedzone. Ruszam brzegiem wzdłuż strumienia. Silnik pracuje nierówno, ale zanim dotrę do drogi, jest już rozgrzany. Jadę powoli przez miasto, ocierając się niemal o stopnie przed domami, w końcu wyjeżdżam na piaszczystą drogę. Skręcam w rozwidlenie drogi, w stronę mojej nowej posiadłości. Mało brakuje, żeby cholerny samochód fiknął kozła; ma zbyt ciężką górę, jak na taki trudny teren, brakuje mu też napędu na cztery koła. Parkuję na wschodnim skraju kamiennego kręgu i blokuję koło kamieniami. Zdejmuję z dachu namiot. Montując go do boku przyczepy, zyskuje się dwa dodatkowe pomieszczenia. Wyjmuję składane stoliki i krzesła i ustawiam je w namiocie.

Po lunchu wychodzę, żeby przyjrzeć się dokładnie budynkowi. Przede wszystkim będę musiał usunąć pokłady kozich bobków. Pokrywają podłogę warstwą grubą na co najmniej stopę. Zastanawiam się, co z tym począć. Nie będę potrzebował nawozu, bo absolutnie nie zamierzam niczego uprawiać.

Obchodzę dom dookoła. Zachodni narożnik jest niebezpiecznie osłabiony; wydobywano tu kiedyś żwir i osypuje się spod niego ziemia. Postanawiam, że zbuduję tu zbiornik i napełnię go łajnem wyniesionym ze środka. Trzeba od czegoś zacząć.

Przez całe popołudnie zbieram w okolicy kamienie. Zrzucam je na stos przy narożniku domu, który zamierzam wzmocnić. O zmierzchu przygotowuję sobie kilka kanapek, wyciągam krzesło na środek kamiennego kręgu i patrzę, jak powoli zaczyna wszystko pochłaniać mrok. Tej nocy na pewno nie będę miał problemu z zaśnięciem. W końcu zaczynam przychodzić do siebie po ostatnich przeżyciach.

Rano znoszę jeszcze więcej kamieni. Po lunchu odczepiam namiot i jadę do miasteczka. Rozglądając się, znajduję na jego drugim krańcu skład, w którym sprzedają cement. Wykupuję niemal cały zapas, jaki mają – osiem worków.

Najpierw kopię głęboki rów wzdłuż linii, na której ma stanąć mur. Tej nocy również śpię jak suseł. Tego mi było potrzeba. Wstaję o świcie i zanim nadejdzie południe, kończę fundament. Wodę biorę ze zbiornika w przyczepie, piasek i żwir z pobliskiego wąwozu.

Po lunchu jadę do fontanny w miasteczku i napełniam wodą wszelkie naczynia, jakie udało mi się zgromadzić. Kupuję też drewnianą murarską packę, zastąpi mi kielnię.

Jest już ciemno, kiedy kończę robotę. Pierwszego dnia robię dwie rundy z wodą. Pracuję jak szalony, zresztą chyba naprawdę jestem trochę szurnięty. Wykorzystuję połamane dachówki, robiąc z nich dreny.

Czuję się jak prawdziwy budowniczy. W Lockheed inżynieria budowlana polegała głównie na konferencjach, sporach z cieślami i kierownikami budów. Każdy projekt roztrząsa się i omawia do znudzenia, ociosuje kanty, aż w końcu człowiekowi trudno uwierzyć, że to naprawdę jego dzieło.

Pracuję ciężko przez trzy dni. Czas mknie szybko wraz

ze słońcem wędrującym po niebie. Zesztywniał mi grzbiet, noga, bicepsy, dłonie mam obolałe od cementu. Plecy mi różowieją, robią się czerwone, w końcu zaczyna mi złazić skóra. Śpię na brzuchu, ale śpię. Tej nocy przyczepa wydaje mi się za ciasna. Budzę się i wychodzę na klepisko. Niebo jest jasne, usiane gwiazdami, księżyca nie widać. Biorę koce, rozpościeram je na kamieniach, natychmiast zasypiam i śpię jak zabity. Wczesnym rankiem powietrze jest chłodne i rześkie, mgły snują się nisko nad ziemią. Otulam się szczelniej kocem, zwijam się w kłębek i znów zasypiam. Kiedy robi się cieplej, budzę się, czuję zapach wilgotnej owczej wełny. Kamienie są mokre od rosy. Wstaję i wrzucam koce do przyczepy. Nie mam pojęcia, która jest godzina, nie zakładam zegarka od chwili, kiedy zacząłem mieszać cement. Myję się, ubieram, wynoszę z przyczepy chleb, ser i zimną wodę z lodówki. Siedzę na skraju klepiska i patrzę, jak mgły opadają w dolinie.

Tego wieczoru kończę robotę. Czyszczę narzędzia z cementu, myję się i podziwiam feerię barw zachodzącego słońca. Boże, jaki to cudowny widok! Kiedy tylko gwiazdy pojawiają się na niebie, ubieram się, wkładam czystą koszulę, zeskrobuję cement z butów i ruszam do miasteczka.

Atakują mnie zapachy, dźwięki i światła; czuję się podekscytowany. Jest sobota, ulice zaroiły się ludźmi. Idę do baru, zamawiam kieliszek malagi *dulce*. Bar jest pełen mężczyzn; piją, jedzą, rzucają muszle skorupiaków prosto na podłogę. Barman zapisuje mój rachunek kredą na ladzie. Otaczający mnie mężczyźni mają na sobie podniszczone, ale starannie odprasowane garnitury, olśniewająco białe koszule, wszyscy są gładko ogoleni. Pocieram palcami swoją twarz – nie goliłem się od tygodnia. Płacę należność i wychodzę.

Zatrzymuję się przy jakimś sklepiku i kupuję za dwadzieścia pięć peset duży, ciężki wiklinowy kosz. U fryzjera jeden klient siedzi przed lustrem, drugi czeka na swoją kolej. Zaczynam się wycofywać, ale fryzjer dostrzega mnie i uśmiecha się. I tak nie mam dokąd iść, więc siadam i zaczynam przeglądać wystrzępione czasopisma.

21

Nadchodzi moja kolej, siadam przed lustrem, fryzjer reguluje podgłówek, opieram się wygodnie. Fryzjer zanurza pędzel w słoju z mydłem i zaczyna wcierać zimną pianę w moje policzki. W zakładzie nie ma już więcej klientów.

– Señor Vincenti opowiada, ze sprzedał panu dom za pięćset tysięcy peset. Czy to prawda, señor?

Stoi przede mną, kręcąc pędzlem w miseczce z pianą i patrząc mi w oczy.

– Za trzysta pięćdziesiąt tysięcy.

Vincenti skłamał co do ceny; to dla mnie dobry znak.

– I tak za dużo, señor.

Potakuję. Fryzjer rozprowadza mi chłodną pianę na policzkach. Odwraca się w stronę umywalki, wraca, nachyla się nade mną. Zarost chrzęści pod brzytwą. Po każdym pociągnięciu fryzjer wyciera ostrze w kawałek gazety.

– Vincenti to zły człowiek, señor.

Znów kiwam głową.

– Kradnie ludziom ziemię. Nie lubią go tu w miasteczku.

Naciąga mi skórę, ujmując dwoma palcami, żeby wygolić zarost pod nosem i wokół ust, potem zwilża dłonie zimną wodą i masuje mi twarz.

– Przykro mi, señor, że powiedziałem panu, gdzie on mieszka. To oszust.

Nie lubię, kiedy ludzie okazują mi współczucie. Miałem tego ostatnio aż nadto.

– Jestem bardzo zadowolony z tego domu i chciałem panu podziękować za pomoc w jego zakupieniu.

Wbrew moim intencjom brzmi to trochę niezręcznie. Uśmiecham się. Fryzjer ściąga prześcieradło; daję mu pięć peset napiwku, prawie tyle, ile kosztuje samo golenie. Biorę swój koszyk i zbieram się do wyjścia.

– Señor, jeśli Vincenti zrobi kiedykolwiek krzywdę mojej rodzinie...

Robi ruch, jakby przeciągał brzytwą po gardle. Przysiągłbym, że ostrze przechodzi o pół cala od grdyki. Brrr! Ktoś wchodzi do zakładu. Uśmiecham się i wychodzę, zanurzając się w nagrzanym mroku.

Pnę się po zboczu wzgórza w stronę kościoła. Od frontu

jest przestronny, okolony murem placyk. Przecinam go i siadam na występie muru.

Rozciąga się stąd wspaniały widok na miasteczko. Próbuję wypatrzyć drogę wiodącą do mojego domu. Słodki aromat kwiatów pomarańczy miesza się z intensywniejszym zapachem hiszpańskiej prowincji: swądem spalonego drewna, wonią pokrytych pleśnią murów, mokrego prania, otwartych ścieków. Dym z małych palenisk, na których gotuje się posiłki, wisi nad dachami. Od czasu do czasu słychać podobny do skrzypu zardzewiałych zawiasów ryk osła. Siedzę tak pod kościołem prawie godzinę, potem wracam przez miasteczko do domu. Już od dawna nie czułem takiego wewnętrznego spokoju.

Rozdział IV

Następnego dnia zabieram się do czyszczenia domu z kozich odchodów. Jest to naprawdę koszmarna robota; paskudztwo zalega warstwami skawalone i wyschnięte na kamień. Jedyna skuteczna metoda to wpychać szpadel pod skorupę i odłupywać ją od podłoża. Przy drugiej porcji urywa się pałąk kosza i muszę go ciągnąć po ziemi. Jeszcze przed zmierzchem dno jest przetarte na wylot. Zmordowałem się tak, że kładę się spać bez kolacji.

Rano idę do miasta, na placyk z fontanną. Zauważyłem, że przyprowadzają tu osły, żeby je napoić, zanim wyruszą w dół po zboczu. Siadam na krawędzi fontanny i czekam. Pierwsze stado zbliża się uliczką i kieruje się do wody: siedem osiołków i chłopiec. Kiedy osły piją, chłopiec przysiada obok. Uśmiecham się do niego.

– Czy to twoje osły?

Rzuca mi szybkie spojrzenie i wstaje.

– To osły mojego ojca, señor.

Wielki podwójny kosz na grzbiecie jednego z osiołków przekrzywił się na jedną stronę. Chłopiec opiera kij o fontannę i idzie go poprawić.

– Ile kosztowałoby wynajęcie jednego z tych osłów?

– Musi pan spytać mojego ojca, señor. To jego osły.

– A ile kosztowałby taki osioł, gdybym chciał go kupić?

Chłopiec patrzy w niebo, potem w ziemię. Pokazuje kijkiem na jednego z osiołków.

– Za tego ojciec zapłacił tysiąc pięćset peset, señor. Jest młody, więc niesie połowę tego co inne.

Uśmiecha się do mnie i pociera zakłopotany ramiona. Odwzajemniam uśmiech. To wspaniałe siedzieć tak na słońcu, chłonąc zapach osłów i słuchać, jak piją wodę. Kolejne stado, tym razem prowadzone przez starego mężczyznę, zbliża się do fontanny. Chłopiec przegania swoje osły i pędzi je drogą w stronę gór. Mężczyzna siada po drugiej stronie fontanny. Ma na sobie spłowiałą, połataną kurtkę, ciemne, poplamione smarami spodnie, sandały i miękki kapelusz z szerokim rondem. Opiera się na grubej lasce. Podchodzę i siadam obok niego. Stary dyszy ciężko, bije od niego dziwny zapach. Znów się uśmiecham.

– *Buenos días, señor.*

Odchyla się i zerka spod ronda kapelusza: ma mętne, zaczerwienione oczy i krótkie, siwe wąsiki. Jego twarz jest prawie tak samo brudna jak nogi.

– Czy nie sprzedałby mi pan osła, señor?

Stary spluwa do fontanny, mruga dwa razy nerwowo, patrząc na mnie w milczeniu.

– Dam panu półtora tysiąca.

Stary wierci się, spluwa pod nogi i obcasem sandała wciera plwocinę w ziemię. Zaczynam podejrzewać, że jest głuchy. W końcu pokazuje na jednego z osłów, średniego, szarego, najbardziej kudłatego.

– To trzylatek, señor. Sprzedam go za dwa tysiące.

Patrzy mi prosto w oczy i mocno zaciska usta, wreszcie podnosi się i podchodzi do osła. Zwierzę nie wygląda ani lepiej, ani gorzej od innych. Stary przytrzymuje mu łeb ramieniem i odchyla wargi, żeby pokazać żółte, długie zęby. Potem zgina mu po kolei nogi. Osioł wyrywa się, wierzga, ale nogi robią wrażenie mocnych. Nie mam najmniejszego pojęcia o koniach ani osłach. Udając znawcę, przesuwam ręką wzdłuż nóg zwierzęcia, tak jak robi to stary. Kucamy na kamieniach tuż obok osła. Ręce starca zaciskają się na lasce, co pomaga mu utrzymać równowagę. Sięgam po portfel. Stary zaciska dłonie tak mocno, że niemal widzę, jak krew płynie jego grubymi, ciemnymi żyłami.

– Dam panu tysiąc siedemset peset za osła z uprzężą i jukami.

– Nie, señor.

Nie podnosi wzroku. Trzymam pieniądze, jeden zielony banknot i kilka mniejszych, brązowych.

– Uprząż i juki są prawie nowe, señor – mówi stary. Nie podnosi wzroku. Nie mam pojęcia, ile może kosztować parciany kantar i juki.

– Señor, zapłacę tysiąc sześćset bez kantara i juków.

Znów oblizuje wargi, potem pochyla się do przodu i opierając się na lasce, wstaje.

– Pan idzie, señor. Pogadamy.

Idziemy do baru i pijemy wino, a tymczasem osły kręcą się niespokojnie koło fontanny. W końcu kupuję zwierzę z kantarem i jukami za tysiąc siedemset pięćdziesiąt peset. Bez problemu doprowadzam osła do domu. Na miejscu przywiązuję go do zderzaka przyczepy i szykuję sobie lunch. Osioł stoi ze spuszczoną głową; spodziewam się najgorszego. Porzekadło „uparty jak osioł" musi się odnosić także do hiszpańskich *burros*. Nadaję mu imię Jozue, w związku z moim murem.

Po lunchu zaczynamy. Kiedy ładuję łajno do koszy, osioł stoi spokojnie. Potem idzie za mną posłusznie pod mur, gdzie zwalam ładunek do dołu. Cóż to za cudowny wynalazek te juczne zwierzęta! Robota idzie pięć razy szybciej. Do wieczora czyszczę z gnoju główne pomieszczenie. Mogę się teraz wyprostować, nie waląc głową w sufit, i wyjrzeć przez okno bez schylania.

Na noc zamykam Jozuego w izbie, w której jeszcze nie zacząłem porządków. Po kolacji zaczyna przeraźliwie ryczeć i nie przestaje, dopóki nie wyprowadzę go na porośnięty trawą skrawek ziemi na dnie jaru i nie napoję wodą z mojego zbiornika. Pije chciwie, potem zaczyna powoli skubać trawę; stąpa ostrożnie, węszy, przeżuwa młode źdźbła. Nie wiem, jak się zajmować takim zwierzęciem – będę się musiał sporo nauczyć. Kładę się na stoku i wypatruję wczesnych gwiazd. Później przywiązuję Jozuego na noc i idę spać.

Po dwóch dniach rycia w złogach kozich odchodów cały dom jest oczyszczony. Miejscami dotarłem nawet do samej podłogi. Czas pomyśleć o zrobieniu wylewki.

Rano próbuję dosiąść Jozuego. Potrzebuję więcej cementu, a nie mam ochoty odłączać znów przyczepy. Wlokę prawie nogami po ziemi. Na skraju miasteczka zsiadam i idę, prowadząc osła. Kupuję dwa worki cementu i wkładam po jednym do każdego kosza. Wracamy do domu, Jozue biegnie truchcikiem obok mnie. Tak właśnie powinno się żyć. Spieprzyliśmy wszystko przez te maszyny i inne zdobycze cywilizacji.

Do wieczora wozimy z Jozuem piasek i żwir z wykopu, aż do chwili, kiedy osioł zaczyna się potykać pod ciężarem ładunku. Jest prawie ciemno, gdy wypuszczam go na trawę. Myję się i jem kolację, siedząc na klepisku. Największym problemem będzie oczywiście woda. Przetransportuję jej tyle, ile trzeba do wylewki, ale potem będę musiał zacząć kopać studnię. Jak przypuszczam, najlepszym miejscem będzie dno jaru.

Nazajutrz przywożę wodę z miasta. Mieszam piasek, żwir i cement bezpośrednio na podłodze: dolewam wody, mieszam znów i wyrównuję. To prymitywna metoda, ale zdaje egzamin. Każdą kolejną porcją pokrywam powierzchnię metra kwadratowego. Pierwszego dnia używam pięć takich porcji.

Zabiera mi to trzy dni. W sobotę po południu podłoga jest skończona. Myję się i idę do miasta – na zakupy i żeby się trochę rozejrzeć. Odszukuję miejscowego kowala i rysuję mu, jakie mi będą potrzebne elementy, potem kupuję trochę prowiantu i idę do fryzjera, żeby pozwolić sobie na luksus golenia.

Tym razem krzesło jest puste. Fryzjer odkłada gazetę, uśmiecha się i wita ze mną uściskiem dłoni. Siadam i usiłuję odczytać coś z dyplomu wiszącego obok lustra. Duże litery o fantazyjnym kroju głoszą: Señor DON CARLOS JOSE RAMOS. Poniżej mniejszymi literami TRZECIA KLASA. Reszta jest zbyt mała, żebym mógł cokolwiek odczytać.

– Jak tam pański nowy dom, señor?

– Dziękuję, świetnie.

Nie mam specjalnej ochoty na pogawędki. Czy ta trzecia klasa odnosi się do fryzjera, czy do zakładu? Kto o tym decyduje? Czy wypada go zapytać? Może się obrazić. Fryzjer zaczyna mydlić mi twarz. Opieram się wygodniej i odprężam. Dla mnie to absolutnie pierwsza klasa. Mimo że fryzjer używa tylko zimnej wody, piana jest obfita, stąd wniosek, że woda musi tu być miękka.

Don Carlos zaczyna akurat operować brzytwą, kiedy od drzwi dobiega jakiś syczący dźwięk. Udaje mi się złowić okiem jakieś poruszenie w lustrze. W drzwiach stoi dziewczyna. Fryzjer nieruchomieje na sekundę z soplem piany zwisającym u palca, a potem odwraca się w stronę drzwi.

Dziewczyna jest smukła, ciemnowłosa, czarnooka, ma na sobie czarną sukienkę i szary fartuszek. Włosy ma sczesane gładko do tyłu. W upstrzonym przez muchy lustrze wygląda jak Hiszpanka z kolorowego reklamowego obrazka. Fryzjer zamyka drzwi i wraca do mnie. Zaczyna od nowa nakładać pianę.

– To była moja córka, señor.

Zaczyna mnie golić szybkimi, zamaszystymi pociągnięciami brzytwy.

– Przypomniała mi, że mam dziś zamknąć wcześniej ze względu na fiestę.

– To dziś jest jakaś fiesta?

– Moja żona kończy dzisiaj czterdzieści lat, więc mamy fiestę w domu.

Odwraca się w stronę umywalki, spłukuje pianę z pędzla i sięga na półkę po jedną ze stojących tam kolorowych butli.

– Powinien pan nałożyć trochę brylantyny, señor. Ma pan bardzo suche włosy.

Potrząsam głową i wstaję. Daję mu dziesięć peset i przeciągam dłonią po twarzy.

– Proszę ode mnie złożyć żonie najlepsze życzenia.

Zbieram się do wyjścia.

– A może by pan do nas dzisiaj wpadł?

Fryzjer stoi przy zlewie i czeka na moją odpowiedź, wycierając ręce małym białym ręcznikiem, który zdjął przed chwilą z mojej szyi.

– Dziękuję panu, ale nie sądzę, żeby pańska żona była zadowolona z takiej nieoczekiwanej wizyty obcego...

Fryzjer podchodzi do mnie i kładzie mi rękę na ramieniu.

– Serdecznie zapraszam, señor. Będą tańce, wino, śpiewy i dobre *tapas*.

– Przyszedłbym z przyjemnością, ale to przecież uroczystość pańskiej żony.

– Będzie szczęśliwa, jeśli pan przyjdzie, señor. Uważa kwestię za rozstrzygniętą.

– Najlepiej niech pan idzie od razu ze mną, dobrze, señor?

Kiwam głową i siadam. Próbuję sobie przypomnieć, kiedy byłem ostatnio na przyjęciu urodzinowym. Nie przepadaliśmy z Gerry za takimi imprezami.

Fryzjer przekręca wywieszkę na drzwiach. Przyczesuje przed lustrem rzadkie włosy, bierze z wieszaka marynarkę i czarny pilśniowy kapelusz i wychodzimy. Don Carlos zamyka zakład wielkim kluczem, przywiązanym sznurkiem do paska od spodni.

Przechodzimy kilka ulic, aż wreszcie stajemy przed jednym z domów i pan Ramos puka do drzwi. Otwierają się natychmiast. Stoi w nich ta sama dziewczyna, wciąż ma na sobie szary fartuszek. Na mój widok spuszcza oczy i wpatruje się w swoje stopy, drobne stópki w miękkich flanelowych pantoflach.

Don Carlos wchodzi do domu pierwszy, nawołuje. Potem wraca i prowadzi mnie do kwadratowego pokoju z czerwoną posadzką. Rozsuwa kotarę i przechodzi do innego pokoju. Dziewczyna zamyka za mną drzwi. Widzę maleńką, może trzyletnią dziewuszkę, która stoi w półmroku i wpatruje się we mnie. Ściany i sufit są jasnoniebieskie, pomalowane są nawet krokwie. Gospodarz wraca z tęgawą kobietą o pięknej oliwkowej karnacji.

– Señor, to jest moja żona, señora Ramos.

Pani Ramos wyciera ręce w rąbek fartucha i ściska mi energicznie dłoń.

– A to moja córka, Dolores.

Odwracam się, skłaniam głowę, uśmiechamy się do siebie. Właściwie dziewczyna prawie na mnie nie patrzy. Odwracam się znów do pani Ramos, która szepcze coś do męża. Ciekaw jestem, co takiego mu mówi.

29

Pan Ramos prowadzi mnie na udekorowane serpentynami patio, na którym stoi pod ścianą uginający się od jedzenia stół. Nalewa mi wina i śpieszy powitać innych gości, którzy ukazują się w drzwiach. Przedstawia mnie kilku pierwszym parom, ale wkrótce obowiązki gospodarza tak go pochłaniają, że znika. Postanawiam znaleźć jakiś spokojny kąt i stamtąd przyjrzeć się wszystkiemu. Słychać ożywiony gwar, kilku muzyków stroi instrumenty. Potem wybijając rytm na pudłach gitar, zachęcają państwa Ramosów, żeby rozpoczęli tańce jako pierwsza para. Pani Ramos zdjęła już wcześniej fartuch; ma na sobie kolorową spódnicę i bluzkę. Stają na środku patia i zaczynają taniec. Wyglądają zaskakująco młodo jak na swój wiek. Inna para wychodzi na środek, wszyscy klaszczą i przytupują rytmicznie. Czasem tańczy aż pięć par naraz, przepychając się i ze śmiechem wpadając wzajemnie na siebie. Dolores stoi w drzwiach, trzymając wciąż na rękach dziewczynkę. Zastanawiam się, jak mała ma na imię. Podnosi się krzyk; wszyscy odwracają głowy w stronę córki państwa Ramos.

Dolores oddaje dziecko matce i wkracza na środek pokoju. Cała jej nieśmiałość znika bez śladu. Patrzy w górę, na niebo nad patiem, i składa ręce na wysokości twarzy. Gitary brzdąkają niepewnie, jakby na próbę, i ciało Dolores zaczyna się wić jak wąż. Dziewczyna kilka razy klaszcze cicho w dłonie, potem zaczyna śpiewać, głębokim, wibrującym głosem, który przechodzi w przenikliwy krzyk. Cały czas śpiewając i klaszcząc, robi kilka drobnych kroczków naprzód, ku skrajowi tanecznego kręgu, potem cofa się na środek. Tempo gitarowego akompaniamentu rośnie. Dolores zaciska usta i lekko unosi rąbek długiej spódnicy. Zaczyna tańczyć, jej ruchy są gwałtowne, figury i kroki złożone. Nad podłogą wzbija się mgiełka kurzu. Coś takiego zawsze wprawia mnie w dziwne zakłopotanie, nawet w nocnych klubach.

Potem tancerka zastyga w bezruchu, a raczej kołysze się ledwie dostrzegalnie, oddychając głęboko z przechyloną do tyłu głową i wygiętą szyją. Podchodzi do niej młody mężczyzna, bardzo blisko, rozlega się imitujący bicie serca rytmiczny łomot gitar. Chłopak trzyma dłonie złożone pod brodą i intonuje głośną, przejmująco smutną pieśń.

Dolores znów zaczyna tańczyć, pstrykając palcami w rytmicznym kontrapunkcie do gitarowych pochodów. Tańczy zamaszyście, szerokimi łukami, to jakby przeciwko zaśpiewom, to znów w idealnej z nimi harmonii. Mężczyzna sunie tuż za nią, napięcie rośnie. Ich taniec nabiera niewiarygodnej precyzji, głos staje się coraz bardziej natarczywy, gitary przyśpieszają, tempo rośnie aż do granic prawdopodobieństwa.

Nagle gitary milkną. Spódnica Dolores wciąż faluje i wiruje. Słychać pojedyncze okrzyki i oklaski. Czuję suchość w gardle, więc pociągam łyk wina. Potem wszystko nagle się kończy i zrywają się szalone brawa.

Dolores kłania się, zarumieniona, zlana potem i znika w głębi domu. Śpiewak pije ze skórzanego bukłaka, który ktoś mu usłużnie podtrzymuje. W tym momencie uświadamiam sobie, że dzisiaj spiję się do nieprzytomności.

Rozdział V

Nazajutrz nie chce mi się pracować. Wyciągam przednie siedzenie z samochodu i ustawiam na klepisku. Podpieram je kamieniami, żeby się nie kiwało, potem rzucam się na nie i układam w półleżącej pozycji, ze zwieszonymi bezwładnie rękami. Jest piekielnie gorąco, pot spływa mi z ramion, kapie z palców. Woń nagrzanego skaju miesza się z zapachem wina, które wypiłem wczoraj.

Śpię z przerwami przez cały dzień. Kiedy w końcu słońce zachodzi, parzę sobie dzbanek kawy, kroję chleb i ser, a potem idę na długą przechadzkę ścieżką prowadzącą w stronę gór. Jest piękna noc, księżyc świeci blado, niebo lśni od gwiazd. Wspinam się na szczyt wzgórza i próbuję stamtąd śledzić obroty ciał niebieskich. Jest już dobrze po północy, kiedy kładę się spać.

Rano odpinam przyczepę i wyruszam do Malagi. Droga jest nawet niezła, ale ożywiony ruch na autostradzie biegnącej wzdłuż wybrzeża napawa mnie lękiem.

W Maladze parkuję przy głównej ulicy, pod magnoliami. Mijam targowisko i zapuszczam się w przypominający ul labirynt krzyżujących się uliczek. Znajduję ferreterię, czyli sklep z artykułami żelaznymi, w którym można kupić rury.

Biorę osiem dwumetrowych rur o średnicy pięciu centymetrów, dwie półmetrowe i kilka złączek. Podjeżdżam samochodem pod sam sklep, umieszczam rury na dachu. Trochę się targuję ze sprzedawcą, ale w końcu dochodzimy jakoś do porozumienia.

Wracam na autostradę, parkuję i wysiadam, żeby pochodzić po sklepach. Nic nie ma! Łażę bez celu, robię drobne zakupy, w końcu ruszam w drogę powrotną.

Dobrze jest być znów w domu. Zatrzymuję się przed kuźnią. Kowal nawet nie zaczął roboty. Dochodzę do wniosku, że równie dobrze mogę wszystko wykonać sam. Przed kuźnią stoi gromada dzieciaków i starszych mężczyzn. Wykuwam z kawałka metalu wiertło. Płacę dwóm malcom, żeby podęli trochę w miechy, aż uzyskam odpowiednią temperaturę. Potrzebna mi jest utwardzona stal. Mocuję wiertło do jednej ze złączek. Właściciel kuźni siedzi w kucki przy drzwiach w gronie znajomków. Daję mu sto peset za wykorzystanie jego narzędzi; robi wrażenie zadowolonego. Ci faceci zdążyli mnie już uznać za kogoś w rodzaju wsiowego głupka.

Jadę do domu i po obiedzie dokonuję lustracji wyschłego łożyska, szukając najlepszego miejsca do kopania.

Rano rozładowuję rury i taszczę je do łożyska. Przymocowuję wiertło do jednej z nich, a potem przykręcam krótsze, półmetrowe rury do obu ramion teownika, żeby zrobić uchwyt. Stawiam całe urządzenie na ziemi, biorę głęboki oddech i zaczynam wkręcać wiertło w miękkie złoża piasku i żwiru. Zanim pierwsza z dłuższych rur zagłębi się całkowicie w ziemi, muszę dwukrotnie wybierać piach. Odkręcam teownik, przymocowuję następną rurę za pomocą jednej ze złączek, przykręcam teownik do nowej rury i zaczynam wiercenie od nowa. Kiedy rura zagłębia się mniej więcej do połowy, natrafiam na piaskowiec i od tego momentu idzie mi znacznie wolniej. Ale do lunchu zagłębiam się na jakieś dwanaście stóp, co nie jest złym wynikiem.

Ostrzę swoje wiertło gładkim kamieniem. Słońce jest już wysoko, kiedy zaczynam wkręcać trzecią rurę. Muszę zrobić przerwę, żeby usunąć piasek. Zanim wkręcę czwarty odcinek rury, robi się ciemno. Trudno mi w to samemu uwierzyć, ale zagłębiłem się w ziemię na dwadzieścia cztery stopy. Próbuję sobie to wyobrazić, odmierzając taki sam odcinek nad ziemią. Jest to prawie tyle co dwupiętrowy budynek.

Jem kolację i moczę moje pęcherze w zimnej wodzie. Czuję wyraźnie, że mam mięśnie, czego dotąd sobie nie uświadamiałem. Nawet leżąc już w łóżku, wciąż czuję zapach ziemi wydobywanej z głębin. Jest to dziwna woń, przypominająca spaleniznę.

O świcie przymocowuję piątą rurę. Zagłębiam się jeszcze na dwie stopy, zanim wyciągnę rurę, żeby ją opróżnić. Tym razem ziemia jest wyraźnie wilgotna!

Podniecony wkładam rurę z powrotem i wiercę jeszcze dwie stopy. Uwijam się jak w ukropie, rozłączam rury, wyciągam i znowu łączę. Rura z wiertłem jest zatkana gęstą gliniastą mazią. Opuszczam znów wiertło i zagłębiam się jeszcze na dwie stopy. Znów wyciągam na wierzch czarne błocko. Podłączam szósty odcinek rury. Wiercenie idzie teraz łatwo, więc pracuję szybko.

Rura zagłębia się w ziemi prawie pod własnym ciężarem. W pół godziny wchodzi cała. Wyciągam ją, końcówka jest wypełniona czarnym błockiem o konsystencji gęstej śmietany. Zaglądam do dziury, co jest właściwie śmieszne, bo cóż takiego miałbym tam niby zobaczyć?

Przyłączam siódmą rurę. W ciągu kilku minut zagłębiam się na cztery stopy, po czym wszystko nagle utyka. Wiercę jeszcze pół godziny bez żadnego rezultatu. Kiedy wreszcie wyciągam rurę, cały dygoczę z wysiłku. Czubek wiertła jest oblepiony błotem zmieszanym z odłamkami granitu. Ale rura jest mokra na odcinku jakichś dziesięciu stóp.

Odkręcam wiertło i tym razem zagłębiam w ziemi samą rurę. Otwór ma czterdzieści stóp głębokości, z ziemi wystaje tylko końcówka rury długa na dwie stopy. Wrzucam do niej kamyk i nasłuchuję. Słyszę grzechot, ale nic mi to nie mówi. Przypominam sobie, że mam w przyczepie długą na pięćdziesiąt stóp linę. Wyciągam ją spod przedniego siedzenia, rozplątuję, przywiązuję do jednego końca łyżkę od opon i opuszczam w głąb rury, aż poczuję, że sięgnęła dna. Wyciągam ją z powrotem. Lina jest mokra na odcinku siedmiu stóp. Zaczynam ją ssać: woda ma lekko bagienny posmak, ale nie jest źle, na szczęście nie wyczuwam soli. Zaczynam wywijać nad głową uwiązaną na linie łyżką, jakby to było lasso.

— Ja to pieprzę, udało się!

Puszczam linę, odwija się jak wąż. Znów zaglądam do otworu. Teraz muszę pomyśleć, jak wydobyć tę wodę. Jestem tylko trzydzieści stóp od niej, ale nadal pozostaje poza moim zasięgiem. Mogę zastosować pompę ręczną albo zaprząc Jozuego do kieratu połączonego ze zbiornikiem, ale wolałbym tego nie robić. Do diabła, przecież Jozue jest teraz moim najbliższym przyjacielem! Chodzi za mną jak szczeniak i wciąż się domaga, żebym go drapał za uszami. Wracam na wzgórze i przygotowuję sobie lunch: kanapkę z serem i z pomidorami. Podmuch wiatru posypuje mi masło pyłem. Zdrapuję kurz z kanapki. Niebo jest jak zwykle bezchmurne i błękitne.

W końcu wpadam na pomysł. Oczywiście, tak należy to zrobić, trzeba wykorzystać wiatr. Coś z niczego: takie rozwiązanie przemawia do wyobraźni.

Odbywam jeszcze trzy wyprawy do Malagi. Przywożę stamtąd drewniane belki, rury, gwoździe, blachę i części starej ciężarówki. Władowuję to wszystko na bagażnik na dachu samochodu. Przez następne dwa tygodnie pracuję w kuźni. Cały czas towarzyszy mi gromada gapiów. Nie mam pojęcia, kiedy ci ludzie pracują i kiedy dzieci chodzą do szkoły. Wycinam z blachy sześć śmig i połączywszy je, konstruuję wielki, topornie sklecony wiatrak o średnicy ośmiu stóp. Pewnie myślą, że buduję samolot.

Następnie buduję tuż przy studni dwupoziomową wieżę. Wymaga to pewnych prac ciesielskich. Wieża ma trzydzieści osiem stóp wysokości i osadzona jest w betonowym cokole. Pierwszy poziom ma dwanaście stóp wysokości. Imponująca rzecz! Zużyłem na nią prawie cały zapas cementu, jaki był w miasteczku. Jozue pomaga mi transportować większe deski.

Na szczycie instaluję poziomą oś wiatraka i wciągam monstrualne śmigi za pomocą krążka linowego. Nasadzam wiatrak na oś i przymocowuję go. Zawieszam to tak, żeby przy zbyt wielkim wichrze wszystko się automatycznie odhaczało.

Potem, wykorzystując przekładnie ze starej ciężarówki, montuję pionowy drąg łączący wiatrak z pompą. Pompę niemieckiej produkcji znalazłem w Maladze, zapłaciłem za nią dwieście dolców.

W sobotę, późnym popołudniem, udaje mi się w końcu złożyć wszystko do kupy. Wspinam się na górę, wyciągam blokujące kliny. Potem pośpiesznie schodzę na niższy poziom. Wielkie koło powoli rozkręca się na wietrze. Słyszę dobiegający z dołu chlupot pompy. Wsysana do rur woda bulgocze, wypychając zatęchłe powietrze. Wreszcie zaczyna strzykać w nieregularnych spazmatycznych wytryskach, najpierw brudna, potem czysta. Oblewa mi nogi i rozchlapuje się na ziemi. Stoję, bojąc się poruszyć, a woda leje się strumieniem, płynie po ziemi i wsiąka w suche, piaszczyste podłoże. Pozwalam, by tak przez chwilę ciekła, bo chcę, żeby się oczyściła, a potem wchodzę z powrotem na górę, blokuję mechanizm i odłączam całe urządzenie.

Rozdział VI

Tego wieczoru jadę do miasta. Ulice są jeszcze bardziej rojne niż zwykle, wszyscy odświętnie wystrojeni. Czuję się brudny, nie goliłem się od dwóch tygodni. Powinienem się też ostrzyc.

U fryzjera otwarte, ale pusto. Siadam i czekam. Do środka wtyka głowę jakiś brzdąc, potem pojawia się señor Ramos. Uśmiecha się, wymieniamy uścisk dłoni. Siadam przed lustrem. Prześcieradło jest świeże, nie wygniecione.

– Coś dawno pana nie było, señor. – Pokazuje na moje odbicie w lustrze i uśmiecha się. – Wygląda pan, jakby odprawiał wielkanocną pokutę.

Zaczyna strzyc; po raz pierwszy przycina mi włosy odpowiednio krótko. Pytam, czy gdzieś w pobliżu jest jakaś restauracja. Señor Ramos cmoka głośno i zaczyna nakładać pianę na mój podbródek.

– Nie, señor, jest tu tylko bar; wszyscy jedzą raczej w domu. To przedostatni dzień *Semana Santa*.

Zupełnie o tym zapomniałem. Jutro Niedziela Wielkanocna. Fryzjer okrąża mnie, staje przede mną i wymachuje mokrym pędzlem do golenia.

– Señor, musi pan koniecznie przyjść do nas na kolację. Moja żona często o pana pyta. W Hiszpanii tego dnia urządzamy wielką ucztę.

Mam pełno piany wokół ust. Podnoszę rękę, jakby w obronnym geście. Naprawdę nie wiem, co powiedzieć. Nie jestem nawet pewien, czy mam ochotę spędzić cały wieczór, mówiąc po hiszpańsku. To dla mnie strasznie męczące.

– Señor, dziś będzie paella; to specjalność mojej żony. Musi pan przyjść.

Kiwam głową i się uśmiecham. Fryzjer zaczyna golić pokryty grubą warstwą piany zarost. Idzie mu to nawet gładko, mimo że rozrabia pianę zimną wodą.

Skończywszy, przechyla krzesło, żebym mógł się dobrze przejrzeć w lustrze. Wyglądam inaczej, znacznie lepiej, nie tylko dlatego, że jestem ogolony. Pan Ramos spryskuje mnie bez ostrzeżenia wodą kolońską o słodkawym, mdlącym zapachu i masuje mi szczypiącą, wilgotną twarz. Przykłada do policzków złożony ręcznik. Zapach jest ciężki, duszący, podobny do zapachu bijącego z mojej studni, choć łagodniejszy. Prawdopodobnie jest to sposób na dyskretne zakomunikowanie mi, że cuchnę. Nie mam właściwie możliwości, żeby się porządnie umyć. Muszę jak najprędzej zainstalować jakiś natrysk.

Daję mu sześćdziesiąt peset. I tak zamierzałem wydać te pieniądze na obiad. Patrzy na mnie surowo i z powrotem wciska mi pieniądze do ręki.

– Wystarczy normalna zapłata, señor.

Daję mu piętnaście peset i próbuję pokryć zmieszanie uśmiechem. Boże, naprawdę nie wiem, jak się zachować w takich sytuacjach! Okazywanie we właściwy sposób wdzięczności jest chyba jedną z najtrudniejszych rzeczy na świecie. Nigdy się tego nie nauczę.

Albo jest to pora zamknięcia zakładu, albo też pan Ramos zamyka zakład, kiedy chce, w każdym razie wychodzimy obaj.

– Jeśli chce pan koniecznie mieć swój udział w kolacji, to moja żona z wdzięcznością przyjmie jakieś wino.

Kładzie mi rękę na ramieniu, do którego nie sięga mi głową. Kupujemy w barze butelkę *bianco* i drugą, *tinto*, po czym krętymi uliczkami zmierzamy do jego domu. Tym razem ja prowadzę; ich dom znajduje się w pobliżu miejsca, gdzie kobiety piorą bieliznę, u stóp wzgórza, na którym stoi kościół.

Otwiera nam córka państwa Ramos. Włosy ma związane z tyłu głowy, ściągnięte tak mocno, że aż oczy robią jej się skośne, co nadaje jej nieco orientalny wygląd. Całuje ojca i wyciąga do mnie rękę. Dotykam jej po raz pierwszy. Ma na sobie cienką niebieską sukienkę i lakierowane pantofelki na płaskim obcasie. Señora Ramos wychodzi z kuchni. Wygląda na ucieszoną moim widokiem. Wręczam jej wino.

– Proszę spocząć, señor. I muszę pana przeprosić, ale jest jeszcze mnóstwo roboty w kuchni.

Odwraca się i znika za kotarą w drzwiach. Dziewczyna idzie za nią.

– Proszę, niech pan usiądzie, señor.

Señor Ramos wskazuje mi krzesło przy stole ustawionym na środku pokoju. Dziewczyna wraca i staje po przeciwnej stronie stołu. Siadam. Señor Ramos kieruje się ku wąskim schodom.

– Zaraz wracam, señor. Może tymczasem opowie pan Dolores o swoim domu.

Idzie na górę. Dolores siada, a towarzysząca jej dziewczynka natychmiast wdrapuje się jej na kolana i zaczyna bębnić rączkami w blat stołu. Zerka na mnie i wybucha głośnym śmiechem. Dolores uśmiecha się, rumieni, ujmuje dłonie małej. Sytuacja jest bardziej kłopotliwa dla niej niż dla mnie. Co by tu powiedzieć?

– Jak ma na imię? – pytam.

– Na chrzcie daliśmy jej Teresa, ale mówimy na nią Tia.

Głos ma łagodny, nie tak ostry jak wtedy, kiedy śpiewa.

– Jak się masz, Tia! Jesteś szczęściarą, że masz taką piękną siostrę.

Tia przygląda mi się bacznie, zwłaszcza ustom. Pewnie nie rozumie mojej hiszpańszczyzny.

Odczekuję chwilę. To konwersacja na zwolnionych obrotach.

– Czy pracujesz tu gdzieś w miasteczku, Dolores?

– Tu nie ma pracy dla młodych dziewcząt. Mogłabym pracować w Maladze, ale ojciec nie chce się zgodzić. Zresztą ja chcę być z Tią. Pomagam tu mamie.

Jej twarz znów przybiera nieodgadniony wyraz. Zastanawiam się, co robi na górze señor Ramos. Dolores uśmiecha się do mnie.

– A czym pan się zajmuje, señor?

Jestem zaskoczony. Jest to pierwsze pytanie, jakie zadają nowo poznanemu człowiekowi w Ameryce, ale po raz pierwszy słyszę je z ust Hiszpanki.

– Jestem inżynierem, specjalistą od aeronautyki.

Wyraz jej twarzy się nie zmienia. Patrzy na mnie nieruchomym wzrokiem.

– Konstruuję samoloty i rakiety.

Wyjaśniam wszystko najdokładniej, jak potrafię. Zresztą ona i tak już nie słucha. Z góry schodzi señor Ramos. Ma na sobie białą, wykrochmaloną koszulę, czarne spodnie i czarne, lśniące buty ze spiczastymi czubkami. Dolores wraca do kuchni. Señor Ramos siada na jej krześle i bierze dziecko na ręce. Po chwili jego córka wraca i zaczyna szybko i wprawnie nakrywać do stołu. To swoisty rytuał. Señora Ramos przynosi ciężki, żeliwny garnek pełen ryżu i różnych owoców morza. Są tam krewetki, mule i inne stworzenia, których nie rozpoznaję.

Señora Ramos nakłada mi na talerz ogromną porcję. Ryż jest jaskrawożółty. Señor Ramos nalewa wina. W ryżu są serca karczochów i białe talarki przypominające nieco gumki recepturki. Są twarde i trzeba je długo żuć. Wyjmuję jedną palcami, żeby jej się przyjrzeć. Dolores, która wciąż trzyma na kolanach dziewczynkę, zaczyna wywijać na wszystkie strony ramionami. Wrzucam „gumkę" do ust i wszyscy wybuchamy śmiechem, nawet mała Tia. Dolores znakomicie odegrała przed chwilą ośmiornicę.

Señor Ramos pyta, co nowego zrobiłem w swoim gospodarstwie. Mówi, że już całe miasto gada o zwariowanym cudzoziemcu i jego wieży. Jakiś miejscowy żartowniś puścił też w obieg plotkę, że mam zamiar się ukrzyżować, aby uczcić *Semana Santa*.

Zaczynam opowiadać, mocno zresztą koloryzując, o tym, jak kupiłem Jozuego, wywierciłem studnię i zbudowałem wiatrak. Musiało na mnie podziałać wino, bo mnie samemu wydaje się śmieszne to, co mówię. Opowiadając, śmieję się razem ze wszystkimi, a przecież uchodzę za człowieka, który nie ma w ogóle poczucia humoru. Gerry twierdziła zawsze, że najwyraźniej brakuje mi odpowiedzialnej za to części mózgu. Problem w tym, że traktuję wszystko, co mówią ludzie, bardzo serio i po prostu nigdy nie chwytam zakamuflowanego dowcipu.

Kończę na tym, jak to stanąłem na szczycie wieży i jak trysnęła na mnie z dołu woda. Señor Ramos aż wychylił się do przodu.

– Chce pan powiedzieć, że naprawdę ma pan tam wodę? Kiwam głową. Ramos opada na oparcie krzesła i wybucha śmiechem. Śmieje się tak, że zaniepokojona żona zrywa się, żeby pośpieszyć mu z pomocą, ale on odprawia ją gestem dłoni. Czuję się zakłopotany, jak zawsze, kiedy nie rozumiem dowcipu, nawet tego, którego sam jestem autorem. Dolores wygląda na lekko zmieszaną. Ramos wprost pokłada się ze śmiechu. Ramiona mu się trzęsą, z trudem chwyta oddech. W końcu wyrzuca z siebie jedno słowo:

– Vincenti! – Patrzy na mnie porozumiewawczo. Twarz ma mokrą od łez. – Niech no on się o tym dowie! – Wciąga ze świstem powietrze i śmiech się urywa. – Cała ta gadanina, jakim to on jest wielkim biznesmenem!

Znów zaczyna się śmiać. Jestem przekonany, że niedługo dowie się o wszystkim całe miasteczko. Señora Ramos zaplata swoje gładkie ręce i opiera się o stół.

– Niech pan uważa, señor. Vincenti to diabeł. Może panu zaszkodzić.

Odwracam się i przyłapuję Dolores na tym, że mi się przypatruje, chyba po raz pierwszy. Szybko spuszcza wzrok na kieliszek z winem i podaje Tii na widelcu kawałek kurczaka.

Czuję się świetnie. Jest już dobrze po północy, kiedy się w końcu żegnamy. Noc jest gorąca, parna, postanawiam więc spać znów na klepisku.

Budzę się mokry, w samym środku burzy, pierwszej od czasu, kiedy tu przyjechałem. Tyle wiercenia, żeby dostać się do wody, a tu całe jej hektolitry leją się prosto z nieba. Wstaję i wyżymam koce. Potem włażę do przyczepy i wycieram się ręcznikiem. Nie mogę zasnąć, mam wrażenie, że przyczepę wypełnia rozgorączkowany, gwarny tłum, deszcz bębni głośno o dach.

Po upływie mniej więcej pół godziny wychodzę i idę

w stronę muru. Pada ciepły deszcz, a ja jestem goły, ale odczuwam ukłucia drobnych kropel raczej jak delikatny masaż.

Mur wygląda nieźle. Dreny pięknie odprowadzają wodę. Wchodzę do domu. Tu i ówdzie dach przecieka. Przemoczony doszczętnie Jozue, którego zostawiłem na wzgórzu, wygląda naprawdę żałośnie. Biorę go do domu. Stoimy obok siebie i patrzymy w rozświetlany błyskawicami mrok. Grzmi, drzewa uginają się pod naporem wichury. Czuję, że serce zaczyna mi bić szybciej.

Wychylam się z okna, żeby spojrzeć na wiatrak. Wielkie koło kręci się w tę i z powrotem, ale wszystko jest w porządku.

Kiedy tak stoję w świetle błyskawic, wyraźnie poprawia mi się nastrój. Jakoś z wolna przychodzę wreszcie do siebie po ostatnich przeżyciach.

Rozdział VII

Poranek jest jasny, wypełniony monotonnym szmerem strumyczków wody. Mokre kamienie klepiska, pokryte wcześniej suchym pyłem, pachną teraz po całych tygodniach spiekoty świeżością. Jem śniadanie i wsłuchuję się, jak woda sączy się ze spęczniałej ziemi. Potem biorę się do pracy. Prowadzę rurę od wiatraka do domu i przymocowuję do niej zawór. Teraz mam wodę, ilekroć jest mi potrzebna.

Po lunchu włażę na dach, żeby sprawdzić miejsca, w których przecieka. Połatany i pouszczelniany wygląda jak jedna gigantyczna układanka. Zdejmowanie dachówek zabiera mi cały dzień; część łat zbutwiała, ale krokwie są w dobrym stanie.

Następnego ranka wyruszam na ośle do miasteczka, kupuję pięćdziesiąt nowych dachówek, cement i trochę łat. Przez kolejne trzy dni siedzę na dachu, przybijając je i układając dachówki.

W czwartek dokonuję pomiarów i jadę do Malagi, żeby kupić okna, drzwi i ościeżnice. Dopisuje mi szczęście: znajduję metalowe ramy. Nie mają właściwych wymiarów, ale da się je jakoś dopasować.

Wstawienie okien i drzwi to nie lada przedsięwzięcie. Muszę powiększyć niektóre otwory okienne, wszystko jest nieszczelne i ledwie się trzyma. Ściany są tak zmurszałe, że zaczynam podejrzewać, że spaja je tylko wapno, którym je pobielono. Robię w otworach okiennych szalunek i wypełniam szczeliny cementem. W sobotnie popołudnie wygładzam krawędzie i czyszczę narzędzia.

W Maladze widziałem afisze zapowiadające występy słynnego zespołu tancerzy flamenco w miejscowym teatrze. Myję się i jadę samochodem do miasta. Señor Ramos jest w zakładzie sam.

– Señor Ramos, czy pan i pańska rodzina jesteście dziś wieczorem bardzo zajęci?

Niezręcznie mi, człowiekowi z innego świata, składać taką propozycję. Don Carlos zaprasza mnie gestem, żebym usiadł przed lustrem. Siadam. Naprawdę to ciągłe golenie to prawdziwa rozpusta!

– Może wpadłby pan dziś do nas na kolację, señor?

Wiąże mi pod szyją prześcieradło. Pewnie myśli, że próbowałem się jakoś wprosić.

– Dziękuję, panie Ramos. Chciałem tylko zapytać, czy nie wybraliby się państwo ze mną do teatru Cervantesa na występ zespołu flamenco?

– Dziś wieczorem, señor? – Okrąża mnie i staje przede mną. – Czy pan mówi poważnie?

– Czemu nie? Moglibyśmy pojechać samochodem na przedstawienie o jedenastej.

– Ale... – Rozgląda się niepewnie. – W takim razie musimy się śpieszyć, señor! – Nakłada mi pianę na twarz. – Flamenco! Dziś wieczorem! Nie uwierzą, jak im powiem!

Jego dłonie trzepoczą jak motyle wokół mojej twarzy. Zamykamy zakład i pędzimy przez miasto. Don Carlos wchodzi do domu pierwszy. Słychać głośne okrzyki niedowierzania, dostaję od señory Ramos siarczystego całusa w policzek, po czym w domu następuje gorączkowa krzątanina. Pani Ramos nalega, abyśmy najpierw zjedli kolację; jest już prawie gotowa. Główne danie to zapiekany kalafior, tak samo żółty jak ryż, który jedliśmy ostatnio. Jemy szybko, potem cała rodzina wchodzi na górę, żeby się przebrać. W pół godziny wszyscy są gotowi. Idziemy przez miasto do samochodu. Państwo Ramos są ubrani na czarno, wionie od nich lekko naftaliną. Dolores skropiła się jakimiś perfumami o anyżkowym zapachu, niesie na ręce Tię.

Przyczepa wzbudza sensację. Señora Ramos nie była w Maladze od trzech miesięcy. Pan Ramos raz w miesiącu jeździ autobusem, żeby zakupić niezbędne utensylia do swojej fryzjerni.

44

Kiedy jedziemy wzdłuż wybrzeża, pokazują mi różne domy i całe wsie. Najwięcej komentarzy dotyczy Torremolinos. Señora Ramos nazywa je współczesnym Babilonem, stwierdza, że to siedlisko zepsucia. Docieramy do Malagi na kwadrans przed jedenastą. Jadę prosto do teatru i bez problemu parkuję. Nad środkowym wejściem do budynku wisi ogromna plansza przedstawiająca tancerzy flamenco. Staję w kolejce i kupuję bilety w średniej cenie, w pierwszym rzędzie bocznego balkonu. Koszt jest minimalny w porównaniu z czterdziestoma, pięćdziesięcioma dolarami, jakie płaciłem w Kalifornii za bilety na spektakle i koncerty, których nawet nie miałem ochoty oglądać. Gerry zawsze uważała, że za rzadko wychodzimy z domu, i miała pretensje, że nie uczestniczymy w wydarzeniach kulturalnych. Te rzeczy były dla niej dużo ważniejsze niż dla mnie. Powiedziałem jej w końcu, że nie mam nic przeciwko temu, żeby chodziła na różne imprezy sama, ale ona upierała się, żebym jej towarzyszył.

Przechodzimy przez foyer i idziemy po szerokich, wygiętych w łuk schodach na górę. Przedstawienie się jeszcze nie zaczęło; znajdujemy swoje miejsca. Siadam obok Dolores, jej rodzice po drugiej stronie. Wychylam się z balkonu i patrzę w dół na widownię. Cały teatr pachnie jak wnętrze damskiej torebki.

Po pięciu minutach pokryta reklamowymi sloganami kurtyna idzie wolno w górę, odsłaniając pustą scenę. Podłoga jest z nie heblowanych desek. Z kulisy wychodzi gitarzysta z krzesłem, stawia je na środku sceny i siada. Gwar na widowni cichnie. Gitarzysta zaczyna brzdąkać w struny, wygrywając cicho, niepewnie skomplikowaną melodię. Potem z lewej kulisy wychodzi tancerka, pstrykając palcami i wykonując pełne ekspresji, płynne ruchy. Tańczy wokół gitarzysty i przybiera różne pozy przy wtórze okrzyków publiczności i braw. Z lewej strony wychodzą dwaj mężczyźni w czarnych, obcisłych strojach, kapeluszach z szerokimi rondami i w butach z krótką cholewką. Jeden przemierza tanecznym krokiem scenę, drugi zaczyna głośno śpiewać. Dziewczyna i jeden z mężczyzn zaczynają krążyć po scenie,

strzelać palcami, wić się, puszyć, tocząc dokoła wzrokiem. Mnie wydaje się to trochę śmieszne, ale publiczność pokrzykuje „ole" i co chwilę wybucha brawami. Patrzę na Dolores. Jej oczy błyszczą. Nachylam się i mówię szeptem:
– Twój taniec podobał mi się bardziej, Dolores.
Dziewczyna zerka na matkę, potem na mnie. Kładzie palec na ustach, potrząsa głową i odwraca się. Tia usnęła w jej ramionach. Do końca spektaklu ukradkiem spoglądam na Dolores i Tię, kiedy tylko mogę. Są obie naprawdę śliczne: młode, zdrowe i silne.

Po przedstawieniu publiczność szaleje, klaszcze, gwiżdże, domaga się bisów. Artyści kłaniają się, uśmiechają i znikają za czerwonymi pluszowymi fartuchami po bokach sceny. Ciężka kurtyna opada z szumem w blasku reflektorów i świateł. Dolores ma wypieki na twarzy, mówi coś do matki gorączkowym szeptem. Pozwala mi wziąć na ręce Tię. Przepychamy się przez tłum do wyjścia i wydostajemy na świeże powietrze. Señor Ramos przejmuje inicjatywę.
– Teraz pójdziemy się czegoś napić, dobrze?
Bierze pod ramię mnie i swoją żonę. Dolores idzie za nami, ze śpiącą Tią na rękach. Skręcamy w wąską uliczkę obok teatru. O wpół do drugiej w nocy jest jeszcze wciąż oświetlona i panuje na niej ożywiony ruch. Dochodzimy prawie do jej końca. W witrynie baru wystawiono półmiski z jedzeniem; jest tego mnóstwo, począwszy od frytek, a skończywszy na mięsach i daniach rybnych. Wchodzimy, don Carlos zamawia mule na gorąco i wino. Natychmiast pojawiają się przed nami cztery kieliszki i półmisek małży. Wino jest białe, ciężkie, słodkie o cierpkim posmaku. Señor Ramos odstawia swój kieliszek, z którego upił połowę, i wyciera usta chusteczką wyjętą z kieszonki na piersi.
– To Pedro Ximénez, señor, wino, z którego słynie Malaga.
Podnosi muszlę i wysysa jej zawartość. Mobilizuję się, żeby też spróbować: małże są gorące, w ogóle nie oślizłe. Wino jest doskonałe; smakuje coraz bardziej z każdym kolejnym łykiem.

Uświadamiam sobie, że jestem bardzo szczęśliwy, kiedy tak stoję i raczę się małżami z rodziną Ramosów. Myślę, że dajemy sobie coś wzajemnie. Jest to jedna z najlepszych stron życia: być z kimś i czerpać z tego radość graniczącą ze szczęściem.

Señor Ramos zamawia następny półmisek. Dolores i señora Ramos zachowują się powściągliwie – wiadomo, ludzie patrzą! W barze jest duży ruch, drzwi się nie zamykają, nikt nie rozsiada się tu na dłużej. Nasz rachunek, wypisany kredą na bufecie, opiewa na osiemdziesiąt siedem peset. Kładę banknot stupesetowy. Señor Ramos bierze go i wciska mi z powrotem do ręki. Czekamy na zewnątrz, aż ureguluje rachunek, po czym idziemy szybkim krokiem do samochodu. Podróż upływa nam spokojnie. Don Carlos siedzi obok mnie; wyczuwam w nim napięcie. Kiedy dojeżdżamy około trzeciej do miasteczka, zwalniam. Podwożę ich pod dom, po czym wracam wolno przez miasteczko do siebie. Wyłączam reflektory, żeby nie budzić uśpionych mieszkańców.

Rozdział VIII

W niedzielę rano robię małe pranie, pakuję kanapki i ruszam ścieżką prowadzącą do Mijas. Słońce piecze, liście eukaliptusa w wąwozie szeleszczą na wietrze. Po przejściu pięciu kilometrów zauważam jakiś wysoki obiekt na zboczu góry po prawej stronie. Wygląda to jak szyb starej kopalni, od którego biegnie przez wzgórze przypominająca głęboką szramę rozpadlina. Zaczynam się piąć w tamtą stronę. Po godzinie forsownej wspinaczki osiągam szczyt. Okazuje się, że jest tam kopalnia, jakby wtopiona w strome zbocze. Wokół otworu szybu rozciąga się kamienne rumowisko, kopalnia wygląda na opuszczoną. Wchodzę do korytarza, nie ma tu stempli, pył osypuje się ze ścian w rytmie moich kroków. Ogarnia mnie strach i szybko zawracam.

Rozglądam się za miejscem odpowiednim do zjedzenia lunchu. Wybieram duży, płaski kamień. Otwieram plecak, pociągam haust wina z manierki i kładę się, wdychając woń szałwii.

Zazielenione po deszczu wzgórza opadają falami ku morzu, okalają i jednocześnie oddzielają od siebie pojedyncze gospodarstwa z białymi zabudowaniami. Klepiska wyglądają jak wielkie kamienne koła. Morze w oddali jest gładkie, brunatne przy brzegu. Po prawej stronie widać jakąś wioskę nad zatoką.

Podchodzę do sterty kamieni. Są ciemnobrązowe, ze śladami kwarcu i ochry. Znów kładę się na kamieniu, popijam wino, słońce spowija mnie jak mumię złotym całunem. Kiedy się budzę, na ziemi kładą się długie cienie. Zjeżdżam po zboczu na obluzowanym kamieniu i ruszam w drogę powrotną do domu.

Naprawdę uczę się żyć, korzystać z dnia, swobodnie, bez nieustannego planowania, bez presji różnych konieczności. Do diabła, przecież na końcu jest tylko grób, więc po co się tak gorączkować?

Gerry i ja zawarliśmy formalnie małżeństwo, kiedy skończyliśmy studia na University of Southern California. Żyliśmy już z sobą od dwóch lat i sama ceremonia zaślubin nie miała dla nas większego znaczenia, ale uspokoiło to naszych rodziców. Zresztą głównie jej rodzicom zależało na zalegalizowaniu naszego związku.

Ale my już wcześniej złożyliśmy pewną przysięgę. Oboje byliśmy świadkami tego, jak nasi rodzice poświęcają się dla nas. Ich rodzice z kolei poświęcali się kiedyś dla nich. Każde kolejne pokolenie rezygnuje z własnego szczęścia na rzecz potomstwa, dla dzieci. Złożyliśmy więc przysięgę, że z nami będzie inaczej.

Zdecydowaliśmy, że skończymy z tą tradycją. Zamierzaliśmy zrobić duże pieniądze. Żadnych dzieci. Pracowaliśmy ciężko na wszystko, co zdobyliśmy. Walczyliśmy o wysoko płatną pracę i pieniądze rzeczywiście spływały strumieniem. Wydawaliśmy je tak szybko, jak je zarabialiśmy. Żadnych oszczędności na przyszłość. Teraźniejszość była naszą przyszłością, żyliśmy chwilą bieżącą. Byliśmy prawdziwymi DINKS-ami*, zanim jeszcze wymyślono ten termin.

W poniedziałek zaczynam wprawiać szyby. Praca jest czysta, poza tym lubię precyzję, jakiej wymaga. Idzie mi szybko. Trzeciego dnia wprawiam ostatnią szybę. Rano zakładam drzwi na zawiasy; to łatwe, kiedy wszystko zrobione jest dokładnie.

Dom ma teraz drzwi i okna, więc przenoszę tam meble z przyczepy. Pokoje wyglądają pustawo z dwoma kempingowymi krzesełkami, składanym stolikiem i łóżkiem polowym. Idę do miasteczka i kupuję lampę naftową. Tego wieczoru przy jej migotliwym świetle rozrysowuję plany na cienkim papierze, który wyjąłem spomiędzy szyb.

---

* DINKS – ang. *Double Income, No Kids* – Podwójny dochód, żadnych dzieci (przyp. tłum.).

Postanawiam przerobić frontową izbę na kuchnię. Jeden pokój na zapleczu będzie sypialnią, a drugi, mniejszy, łazienką. Główny pokój, salon, wybuduję na klepisku, wykorzystując ciosany kamień jako podłoże. Pokój będzie miał formę sześcioboku. Trzy ściany będą przeszklone na całej powierzchni; wielkie szyby osadzę w ciężkich drewnianych ramach i ościeżnicach. W jednej ze ścian będzie przejście do innych pomieszczeń, w drugiej nowe drzwi wejściowe. W środku chcę postawić coś w rodzaju czterometrowej, pustej w środku kolumny, która będzie jednocześnie podtrzymywać strop i służyć jako centralnie usytuowany kominek. Łamany dach będzie miał około dwóch i pół metra szerokości.

Cement, drewno, dachówki, szkło i inne materiały nie powinny mnie kosztować więcej niż pięć tysięcy dolarów. Jako źródło energii wykorzystam wiatrak. Prądnica, instalacja, gniazdka to kolejny tysiąc. Zwijam rysunki; mimo późnej pory nie czuję się senny. Kładę się, ale długo przetrawiam wszystko w myślach.

W drodze do Malagi zatrzymuję się, żeby się ogolić. Señor Ramos mówi mi o sklepie z materiałami budowlanymi na drugim końcu miasta. Planujemy kolejne spotkanie w następną sobotę.

Znajduję sklep, który mi opisał – jest tu wszystko, czego mi potrzeba, i to po umiarkowanej cenie. Wybieram materiały i uzgadniam szczegóły dotyczące dostawy. Potem jadę z powrotem do Malagi i parkuję w pobliżu postoju taksówek.

Wstępuję do jednego z banków i wyciągam jeszcze trochę pieniędzy. Sprawdzam, czy są do mnie jakieś listy na poste restante. Okazuje się, że są dwa; jeden od ludzi, którzy wynajmują mój dom, drugi od Gerry. Wkładam je do kieszeni i wracam do samochodu.

W samochodzie otwieram list od Gerry. Zawiadamia mnie, że jest w ciąży i że we wrześniu wychodzi za mąż. Jej przyszły mąż jest pisarzem i nauczycielem akademickim. Ma nadzieję, że również jestem szczęśliwy. Kończy jak zwykle: Całusy, Gerry. Wrzucam list do schowka i ruszam. Przejeżdżam przez brukowany most, koła wpadają w koleiny torów tramwajowych, tak że samochód jedzie sam, nie muszę nim kierować.

W miasteczku kupuję prowiant i parę butelek wina. Po śniadaniu zaczynam wykonywać pomiary pod fundamenty, ale szybko rezygnuję. Ogarnia mnie niepokój, powraca ciemność, znów mam wrażenie, że rozpadam się na atomy. Postanawiam uporządkować swoją garderobę. To jeden wielki bajzel. Kończę o zmierzchu, wszystkie brudy zapakowałem do plastikowych worów. Może znajdę jakąś samoobsługową pralnię w Maladze. Jem lekką kolację i poję Jozuego. Potem siadam obok niego na trawie. Kiedy osioł pije, jego wargi ledwie dotykają wody. Świeża trawa jest miękka jak jedwab. Patrzę na niebo, na cienki sierp księżyca i gwiazdy w morzu aksamitnej czerni.

Wracam na klepisko, biorę miotłę i zaczynam wymiatać piach spomiędzy kamieni. Zabieram się do tej roboty tylko po to, żeby się czymś zająć, ale potem praca mnie wciąga. Kończy się na tym, że wynoszę na zewnątrz lampę, żeby lepiej widzieć, co robię.

Zamiatam całą noc. Widnieje, kiedy kończę porządki. Kamienie są piękne, ociosane i precyzyjnie dopasowane. Ich widok działa na mnie kojąco: myślę o tym, z jaką miłością i troską ktoś je ociosywał i układał.

Słońce wychodzi zza wzgór, kiedy wreszcie odrzucam to, co pozostało z mojej miotły. Wchodzę do domu, żeby się trochę przespać, zanim zapanuje upał. Natrafiam na drugi list w kieszeni, otwieram go. Okazuje się, że ludzie, którzy wynajęli nasz dom, chcieliby go kupić.

Śpię do wczesnego popołudnia, potem kończę wytyczanie miejsca pod fundamenty. Tego wieczoru piszę na swojej przenośnej maszynie list, w którym informuję, że sprzedam dom za dwieście pięćdziesiąt tysięcy, o pięćdziesiąt tysięcy taniej, niż go kupiłem.

Hipotekę spłacę sam.

Rozbieram się i wślizguję do śpiwora. Myślę, jak daleko odszedłem od tego wszystkiego. Zastanawiam się też, co ja tu, u licha, robię.

Rano czytam list jeszcze raz. Dla nich moja propozycja

jest korzystna, przecinam też kolejny wiążący mnie z przeszłością sznurek. Miesięczne raty będą wyższe niż opłaty za wynajem i nie będę się musiał troszczyć o stan domu. Zastanawiam się, co powie Gerry. Była wściekła, że traci ten dom, ale nie można przecież zatrzymać wszystkiego. To ona nalegała na rozwód, utrzymywała, że nie jestem taki, za jakiego mnie uważała, kiedy braliśmy ślub. Do dziś tego nie rozumiem; tak zawiłe odczucia to dla mnie coś trudnego do pojęcia. Czasem podejrzewam, że Gerry chciała tylko nabrać pewności siebie, choć z drugiej strony wiem, że musiało być w tym coś więcej.

Adresuję list. Czuję się dziwnie, wypisując obce imię i nazwisko nad naszym adresem. Ale taki już jestem: wkładam zbyt wiele emocji w podobne drobiazgi.

Wkręcam papier w maszynę, żeby wystukać list do Gerry. Piszę na maszynie, bo nikt nie odczyta mojego odręcznego pisma.

Przede wszystkim składam jej najlepsze życzenia i wyrażam nadzieję, że będzie szczęśliwa. Przekazuję też pozdrowienia dla jej przyszłego męża. Na razie daje to sześć wierszy. Nie mam pojęcia, co by jeszcze dodać. Nie mogę się zebrać na odwagę, żeby napisać to, co naprawdę chciałbym jej zakomunikować. Zresztą ona nie chciałaby tego czytać, a poza tym nic by to nie dało. Doszliśmy do punktu, w którym nasze drogi się rozeszły. Klamka zapadła.

Patrzę przez okno na obracający się leniwie wiatrak i dopisuję szybko jeszcze trzy strony, informując ją, co zrobiłem i jakie mam plany związane z nowym domem. Zawiadamiam ją też, że zamierzam sprzedać stary. Potem wykreślam ostatnie zdanie i przepisuję cały list.

Kończę, podpisuję się samym imieniem. Gerry wróciła do panieńskiego nazwiska i teraz stawia przed nim skrót Ms., co zresztą w angielskim oznacza też manuskrypt. Wypisuję to Ms. i adres jej mieszkania w San Francisco. Adres zwrotny: poste restante, Malaga. Nie sądzę, żeby potrafił mnie tu odszukać jakikolwiek listonosz. Zresztą wcale bym sobie tego nie życzył; byłoby to tak samo fatalne jak posiadanie telefonu.

Próbuję sobie bez powodzenia wyobrazić Gerry czytającą mój list; papieros w lewej dłoni, kartka tylko na pół rozłożona, dym z papierosa ulatuje pionowo w górę, prawa noga założona na lewą, potem zmiana, pionowa zmarszczka między brwiami, która pojawia się zawsze, kiedy Gerry się koncentruje, czytając bez okularów.

Rozdział IX

Robię głęboki na czterdzieści i szeroki na trzydzieści pięć centymetrów wykop pod fundament, potem sporządzam formę do odlewu. Zbijam z desek płaską skrzynkę do mieszania cementu i przynoszę więcej piasku i żwiru. Żałuję, że nie mam betoniarki.

Pewnego popołudnia przyjeżdża z Malagi samochód z zakupionymi materiałami. Zachodzę w głowę, jak na Boga, udało im się z tym przejechać przez miasteczko, a potem po wyboistej drodze. I prawdę mówiąc, nawet nie chcę tego wiedzieć. Sprawdzam, czy niczego nie brakuje, i podpisuję kierowcy co najmniej sześć pokwitowań. Większość materiału składam w domu. Nie chcę, żeby cement i drewno zamokły na deszczu. Tarcicę układam pod „zawietrzną" domu i przykrywam plandeką wyciągniętą z przyczepy. To wspaniałe uczucie mieć taki zapas surowca.

Przez następne trzy dni mieszam i wylewam cement. W sobotę napełniam ostatni dół. Wrzucam z grubsza oskrobane narzędzia do wiadra z wodą i padam bez sił na łóżko.

Później, leżąc w ciemnościach, czuję, jak wali mi serce, jak pompuje krew powoli, z wysiłkiem, aż szumi mi w uszach. Stopniowo przychodzę do siebie. Ktoś puka do drzwi. Zwlekam się z łóżka i siadam na krawędzi. Kręci mi się w głowie, skórę mam sztywną od cementu. Zataczając się, kuśtykam do drzwi, żeby otworzyć. W progu stoją señor Ramos i Dolores.

– Co się stało, señor? Czy miał pan wypadek?

W ich oczach wyglądam pewnie po ciemku na żywego trupa. Całą twarz, ręce i nogi pokrywa skorupa cementu. Na nogach mam do połowy zasznurowane, też umazane cementem buciory. Nawet wskrzeszony Łazarz nie wyglądał chyba gorzej.

– Jest już po dziesiątej, señor, i zaczęliśmy się niepokoić.
O cholera! Na śmierć zapomniałem o kolacji. Zapraszam
ich do środka.

– Najmocniej przepraszam, señor Ramos. Pracowałem
dziś ciężko i zmorzył mnie sen.

Jestem na wpół rozbudzony i nie mam specjalnej ochoty
na jedzenie. Chodzę po pokoju i bezmyślnie przekładam
różne rzeczy. Proszę ich, żeby usiedli, zapalam lampę naftową. Mój dom wygląda naprawdę jak chlew. Znowu go niemiłosiernie zapuściłem.

– Musicie mi wybaczyć, samotny mężczyzna upodabnia
się do zwierzęcia.

Wyjmuję jakieś ubranie z torby i wkładam je w sąsied-
nim pokoju. Señor Ramos nachyla się w moją stronę.

– Señor, potrzeba panu żony, ładnej hiszpańskiej dziewczyny, która by o pana zadbała.

Śmieje się, ale wyczuwam, że czeka na odpowiedź. Odwracam się w drzwiach.

– Niech pan spojrzy na ten bałagan, señor Ramos. Żad-
na kobieta by tu ze mną nie wytrzymała. A poza tym ja nie
nadaję się na męża. Miałem już żonę i odeszła ode mnie.

Wychodzę na zewnątrz. Słyszę, jak Ramos i Dolores roz-
mawiają w środku. Księżyc jeszcze nie wzeszedł i jest ciemno choć oko wykol. Otwieram zawór i woda spływa mi na
głowę i ręce. Pompa jest zamknięta, ale w rurze zostało
wystarczająco dużo wody, żebym mógł się umyć, jeśli tylko
zrobię to szybko. Nagrzana za dnia słońcem woda jeszcze
nie całkiem ostygła. Señor Ramos wychodzi z domu i staje
obok. Patrzy na wiatrak i kręci głową.

Wchodzę do domu, ubieram się i pokazuję im dom, oświe-
tlając pomieszczenia latarką. Podłogi nie są jeszcze wszędzie wyrównane, więc Dolores opiera się na ramieniu ojca;
ma na nogach te same co zwykle pantofle na niskim obcasie.
Pokazuję nowo postawiony mur, studnię, nie ukończony
jeszcze dach, nowe okna i drzwi. Prowadzę ich na klepisko
i tłumaczę, jakie mam plany. Señor Ramos znów kręci głową.

– Pan się wykończy, señor. To nierozsądne tak się zaha-
rowywać.

Stoję z rękami w kieszeniach i patrzę na niego, potem na Dolores. Chciałbym im powiedzieć, ile ta praca dla mnie znaczy, wyjaśnić, jak to Amerykanów uczy się od dziecka, że nie należy nigdy płakać i użalać się nad sobą, uświadomić im, jak to człowiek, ciężko pracując, przezwycięża swoje smutki. Chcę im powiedzieć, jakie to dla mnie ważne, żeby zbudować własne gniazdo, jak bardzo pomaga mi to wziąć się w garść. Ale jak zwykle nie mówię nic. Nigdy mi to nie przechodzi przez gardło.

Proponuję, że wrócimy do miasteczka samochodem. Nie wiem, jak udało im się do mnie dotrzeć bez latarki. Jest ciemno jak diabli, nie ma żadnych latarń, niczego. Señor Ramos nalega, żebyśmy weszli do zakładu, to mnie ogoli. Dolores biegnie do domu. Dosłownie biegnie. Señor Ramos odmawia przyjęcia zapłaty za golenie. Czuję się bardzo niezręcznie, kiedy ludzie wciąż mnie tak czymś obdarowują.

Kolacja upływa bardzo przyjemnie. Zwykle mam problemy z jedzeniem, kiedy przy stole jest dziecko, ale Tia jest bardzo dobrze wychowana. Robię też szybkie postępy, jeśli chodzi o hiszpański. Rodzina Ramosów jest ciekawa, jak wyglądało moje życie w Ameryce. Próbuję dać im jakieś ogólne wyobrażenie. Rozmawiamy o Amerykankach i o tym, jaki prowadzą tryb życia. Ramosowie mają masę niesamowitych wyobrażeń, które wynieśli z amerykańskich filmów. Nie chcę mówić o Gerry i gospodarze to szanują. To naprawdę bardzo mili ludzie.

Kiedy zbieram się do odejścia, wyczuwam pewne napięcie. Nie mogę dociec, w czym rzecz. W końcu señora Ramos pyta:

– Czy Dolores mogłaby przyjść w poniedziałek do pana, żeby posprzątać i zrobić pranie, señor?

Patrzę na Dolores; dziewczyna szybko odwraca wzrok. Nie wiem, co powiedzieć. Nawet przez chwilę nie brałem pod uwagę takiej możliwości.

– Nie mam właściwie zbyt wiele do prania.

Uśmiecham się, czekam, nic się nie dzieje. Odwracam się do Dolores.

– Ile miałbym ci zapłacić, Dolores?

Dziewczyna patrzy na matkę.

– Zapłaci pan tyle, ile pan uzna za stosowne, señor. Córka przyjdzie do pana z Tią. Mała będzie się mogła pobawić na wzgórzach.

Uzgadniamy, że Dolores przyjdzie w poniedziałek o dziesiątej.

Niedzielny poranek jest słoneczny, powietrze jak kryształ; mgły w głębi kanionu opadły. Wchodzę na swoją wieżę i wprawiam wiatrak w ruch. Kiedy patrzę z góry na barwny skalisty pejzaż, mam wrażenie, że oglądam zwolniony film, klatka po klatce przesuwają się kolejne obrazy. Schodząc z drabiny, zatrzymuję się kilka razy, żeby nasycić nimi wzrok. Boże, jakie to wszystko piękne!

Bardzo łatwo sprokurować natrysk z węża, którego używam do mycia samochodu. Stoję w strugach rozchlapującej się na wszystkie strony zimnej wody i trę skórę szarym mydłem i starym ręcznikiem. Przytupuję dla rozgrzewki, błoto ochlapuje mi nogi po kostki. Siadam na brzegu łóżka, obcinam paznokcie nóg i rąk, ubieram się i robię przegląd rzeczy do prania. Właściwie wszystko, co mam, jest brudne. Wyciągałem po prostu rzeczy z torby i przepierałem po sztuce, kiedy coś było mi potrzebne.

Po śniadaniu schodzę po stoku do Jozuego, który pasie się po drugiej stronie wiatraka. Osioł podchodzi, trąca mnie pyskiem w ramię, obwąchuje. Pachnie suchą trawą i kurzem. Wskakuję mu na grzbiet i kieruję się na ścieżkę prowadzącą do drogi. Muszę podciągać nogi, żeby nie wlec nimi po ziemi. Jozue kroczy nieśpiesznie w stronę miasteczka, skubiąc po drodze kępki trawy na poboczu.

W miasteczku osioł idzie od razu pod górę, w stronę kościoła, a potem zawraca ku cmentarzowi. Pod cmentarnym murem rośnie bujna, soczysta trawa. Zsiadam z Jozuego i wchodzę na cmentarz.

Groby ciągną się rzędami; wszystkie mają prawie dwa metry wysokości i są „od wezgłowia" zaokrąglone. Drugi, płaski koniec jest czymś w rodzaju wejścia, zamurowanego gipsem lub zamkniętego marmurową płytą z wyrytymi napisami. Pomiędzy pryzmami grobów biegną wyżwirowane ścieżki. Chodzę po nich, odczytując inskrypcje; pochowano tu wiele dzieci. Nienawidzę myśli o umierających dzieciach, głównie dlatego, że te istotki nie wiedzą przecież jeszcze, o co w tym wszystkim chodzi. Myślę zresztą, że nikt z nas nie wie. „Pozwólcie dzieciom przychodzić do mnie". Nigdy nie rozumiałem, co to właściwie znaczy.

Nie jestem na cmentarzu sam. Nieopodal widzę starszego mężczyznę z jutowym workiem. Stary podchodzi do ścieżki, wpatruje się w groby, osłania oczy kielnią. W końcu przestępuje przez obramowanie z bielonych wapnem kamieni. Podchodzę bliżej.

Mężczyzna zdrapuje kielnią starą zaprawę z marmurowej płyty zamykającej jeden z grobów. Wyważa ją i kładzie na ziemi. Potem sięga do otwartego grobu i wyciąga stamtąd zbutwiałą deskę, kawałek szarej, porowatej kości, parę pokrytych pleśnią butów, strzępy czarnej tkaniny i czaszkę. Wkłada to wszystko do worka. Potem nachyla się nad ziejącym otworem i wygarnia kielnią prochy i drobne kości. Robi z tego stosik przy wylocie grobu i zaczyna w nim grzebać. Szybkim ruchem kielni wyławia jakiś maleńki przedmiot, przeciera go rękawem i chowa do kieszeni. Resztę zgarnia do jutowego worka i zarzuca go sobie na ramię. Odchodzi w stronę kościoła. Jego czarna marynarka lśni w słońcu jak chitynowa pokrywa jakiegoś żuka, żwir chrzęści mu pod stopami. Dzwon na kościelnej wieży zaczyna dzwonić matowo. Słucham z zamkniętymi oczami. Kiedy je otwieram, starca nie ma.

Czekam w cieniu sosny. Po chwili stary wyłania się z prześwitu w murze w miejscu, gdzie cmentarz przylega do kościoła. Kiedy znów odchodzi, zbliżam się do muru i zaglądam w głąb małego podwórza z dwiema furtkami. Jedna jest na wprost mnie, druga nieco z lewej. Na podwórku stoi coś w rodzaju białego stołu z marmurowym blatem. Pusty worek leży przy furtce po lewej stronie. Podchodzę bliżej; dzwon ciągle bije.

Za furtką jest drugie, jeszcze mniejsze podwórko. Pod murem w głębi piętrzą się w stosach i leżą porozkładane elementy zdumiewającej kolekcji: zetlałe strzępy odzieży, buty, kawałki nadjedzonego przez robactwo drewna i kości. Odwracam się i podchodzę do furtki w murze. Za nią rozciąga się jeszcze jedno okolone murem podwórze. Wygląda to na jakiś labirynt. Z bujnej, zielonej trawy wyłania się pięć drewnianych krzyży. Jeden jest nowy, z białym, najwyraźniej niedawno namalowanym napisem: Maria Muñoz. Odwracam się i patrzę na blat stołu na środku głównego podwórza. Jest to gruba marmurowa płyta spoczywająca na białym marmurowym cokole. Blat jest lekko nachylony. W jednym końcu leży żłobkowany kamień, który służy jako podgłówek. Na drugim końcu płyty jest mały okrągły otwór.

Wracam na cmentarz. Stary wymiata z grobu jakieś szczątki.

Wychodzę z cmentarza, dosiadam Jozuego i ruszam w dół uliczki. Z miasteczka zmierza w naszą stronę kondukt pogrzebowy. Tłum rozlewa się na całą szerokość ulicy. Na przedzie idzie ksiądz w czarnej sutannie i białej, obszytej koronką komży. Wiatr rozwiewa smużki dymu z kadzidła.

Rozdział X

Pracuję właśnie przy fundamentach, kiedy nadchodzi Dolores. Niesie pod pachą tarę, a w ręce sztabkę mydła. Obok niej drepcze Tia. Witam się z Dolores, potem kucam i kiwam ręką w stronę Tii. Mała chowa się za spódnicę siostry, ale zerka na mnie stamtąd ukradkiem. Zapraszam je do środka. Od Dolores bije zapach mydła. Wskazuję na stos prania.

– To byłoby to, Dolores. Ale ostrzegam cię, że wszystko jest naprawdę okropnie brudne.

Dolores uśmiecha się. Wynoszę tobołki z praniem na zewnątrz, wyjmuję z przyczepy wiadro, podstawiam je pod kran i nabieram wody. Teraz żałuję, że nie wyjąłem z brudów przynajmniej moich dżokejskich gatek. Dolores też robi wrażenie zakłopotanej, więc wracam do pracy. Tia trzyma się siostry. Jest ślicznym dzieckiem, ma trochę bardziej śniadą cerę i lśniące oczy, które bacznie śledzą każdy mój ruch.

Dolores pierze cały ranek, wylewając całe wiadra brudnych mydlin. Ja zamocowałem słupy i jestem gotów zacząć stawiać szkielet budowli. Pomysł polega na tym, że zrobię wszystkie ściany na ziemi, a potem podniosę je po kolei i przybiję do słupów. Tia podchodzi kilka razy i obserwuje mnie w milczeniu. Za pierwszym razem Dolores przywołuje ją do siebie, ale mówię, że mała mi nie przeszkadza. Właściwie to jej towarzystwo sprawia mi wielką przyjemność. Próbuję do niej zagadać, ale dziewczynka nie odpowiada. Trudno – dobrze, że przynajmniej odpowiada uśmiechem, kiedy się do niej śmieję. Pracując, sprawdzam cały czas, gdzie mała jest, i zastanawiam się, jaką zabawkę mógłbym jej kupić lub zrobić. Po pewnym czasie oswaja się na tyle, że śmieje się do mnie za każdym razem, kiedy na nią spojrzę. Byłoby cudownie mieć taką córeczkę!

Spoglądam w stronę Dolores, która strzepuje koszulę i rozwiesza ją, żeby wyschła. Staje na palcach, wyciąga się jak struna, bierze rozmach i zarzuca koszulę na krzaki. Jest już po dwunastej, kiedy stawiam drugą ścianę i przybijam ją solidnie do słupów. Dolores wylewa wodę; nie pozostało już nic do wyprania. Podchodzę do niej. Tia drepcze za mną.

Przedramiona Dolores są jaśniejsze od twarzy; widać to dopiero teraz, kiedy podwinęła rękawy. Na jej górnej wardze perli się pot. Wokół niej bieleją niczym chmara olbrzymich motyli rozpostarte na trawie i porozwieszane na krzakach uprane koszule. Dziewczyna opuszcza z powrotem rękawy.

– Musi pan pilnować, żeby wiatr nie porwał prania, señor.

Wyciera ręce w fartuch. Cały czas unika mego wzroku.

– Dziękuję, będę uważał, Dolores.

Podnosi z ziemi tarę i mydło. Zabieram swoje wiadro.

– Mam zamiar teraz coś zjeść, Dolores. Czy dotrzymacie mi z Tią towarzystwa?

Dolores zwraca twarz ku słońcu.

– Trochę za wcześnie na jedzenie, señor.

– To będzie tylko taki amerykański lunch, Dolores.

Uśmiecham się i czekam na decyzję.

– Dziękuję, señor, ale powinnyśmy iść do domu, mama będzie się martwić, jeśli wrócimy późno.

Nie jestem pewien, czy oznacza to przyjęcie zaproszenia, czy odmowę. Wynoszę z przyczepy dwa dodatkowe krzesła, potem jedzenie i talerze. Dolores bierze nóż i kroi chleb w cieniutkie kromki. Nalewam wino do kubków i robię sandwicze z pomidorami i serem. Na osobnym talerzu kładę pomidory i ser dla Tii. Opłukuję blaszany kubek i napełniam go zimną wodą ze zbiornika w przyczepie.

Kiedy siadam, Dolores idzie w moje ślady. Tia wdrapuje się na krzesełko obok siostry. Czuję się doskonale, siedząc tak na samym środku mojej kamiennej podłogi, z której strzela w bladobłękitne niebo konstrukcja z surowego, jasnożółtego drewna. Wiem, że wypadałoby coś powiedzieć, więc kiedy Dolores karmi Tię, pytam o drewniane krzyże na tyłach cmentarza. Dziewczyna przestaje jeść i zakrywa ręką usta.

– Och nie, señor, nie powinien pan tam chodzić, to bezbożna ziemia.

– Jak to „bezbożna", Dolores?

– Grzebie się tam tych zmarłych, którzy odeszli od Kościoła.

W pierwszej chwili wyobrażam sobie, że aby umrzeć godnie, wszyscy muszą przed śmiercią czym prędzej biec do kościoła, ale szybko się domyślam, w czym rzecz.

– Takich jak ja, Dolores?

– Och nie, señor, to jest dla tych...

Nachyla się do mnie, żeby Tia nie słyszała. Odganiam pszczołę, która usiadła na jednym z pomidorów. Zaskakuje mnie błyskawiczny ruch, jakim Dolores kładzie rękę na szyi.

– Jeśli umrze pan bez księdza, señor, nie można pana pochować na święconej ziemi.

Jemy w milczeniu; Tia od pewnego czasu radzi sobie samodzielnie. Ja jednak nie zaspokoiłem swojej ciekawości. W końcu zbieram się na odwagę i pytam o marmurowy stół. Dolores patrzy mi w oczy, potem kreśli pośpiesznie znak krzyża.

– W ten sposób się dowiadują, señor. Jeśli człowiek umrze i nie wiedzą. Rozcinają brzuch i dowiadują się.

Nachyla się do mnie; jest tak blisko, że czuję zapach jej nagrzanych włosów. Potem znów się prostuje.

Milczę. Zaczyna do mnie docierać, o czym mówi, ale trudno w to uwierzyć. Potem opowiada o wiejskiej dziewczynie, która nie wyszła za mąż. Mówi niejasno i szybko. Ledwie nadążam ze zrozumieniem jej hiszpańskiego. Skończywszy, wbija wzrok w swoje dłonie. Chciałbym jej dotknąć, pokazać na otwarte niebo nad naszymi głowami. Robi wrażenie takiej silnej, żyjącej w takiej harmonii ze swym otoczeniem, a jednak jakby od niego odciętej, wystraszonej historią, którą sama mi opowiedziała.

Wstaje, zdejmuje Tię z krzesła i znów sięga po swoją tarę i mydło.

– Teraz już naprawdę muszę iść, seňor. Jest późno. Mama pyta, czy przyjdzie pan do nas w sobotę na obiad.

– Przyjdę z przyjemnością, Dolores, dziękuję.

Proponuję jej pięćset peset za wykonaną pracę. Kiwa głową, uśmiecha się i bierze pieniądze. Odprowadzam ją wzrokiem, kiedy odchodzi ścieżką, potem wracam do roboty. Zerwał się lekki wietrzyk, patrzę z niepokojem na rozwieszoną na krzakach bieliznę.

Dopiero w piątek stawiam ostatnią ścianę i przybijam ją do słupów. W sobotę rano kopię dół i robię fundament pod środkowy filar, w którym ma być kominek. Przez całe popołudnie zbieram kamienie, aż uskłada się spory stos.

Zdejmuję przepocone ubranie i wchodzę pod natrysk. Ciepła woda uderza mnie łagodnie w kark, spływa wzdłuż kręgosłupa i skapuje z kolan. Zmywam z siebie lepki brud, mikę i piasek, potem czyszczę najgorsze skaleczenia za pomocą pilniczka do paznokci. Woda robi się zimna, zakręcam kurek i pędzę do przyczepy po ręcznik.

Czysta odzież jest złożona i porządnie poukładana. Pachnie słońcem. Wyjmuję białą koszulę nie wymagającą prasowania, skarpetki, bieliznę, krawat i eleganckie buty. Wyciągam garnitur, którego nie miałem na sobie od czasu wyjazdu z Paryża. Mój całotygodniowy zarost razi przy tak eleganckim stroju, ale liczę na to, że zdążę do fryzjerni pana Ramosa przed zamknięciem. Włosy też przydałoby się przystrzyc.

To zabawne jechać na ośle w garniturze od braci Brooks i butach od Gucciego. Patrzę na ostatnie promienie zachodzącego słońca i czuję się jak żywa reklama piwa. Na skraju miasteczka schodzę z mojego wierzchowca.

W zakładzie nikogo nie ma, więc od razu siadam przed lustrem. Czekam około pięciu minut, wreszcie pojawia się seňor Ramos. Wygląda na szczerze ucieszonego moim widokiem. Nie komentuje mojego wytwornego stroju. Podczas szybkiego golenia i strzyżenia gawędzimy trochę o stanie moich robót. Seňor Ramos zamyka zakład i idziemy w stronę jego domu. Prowadzę za sobą Jozuego.

Seňora Ramos wyraża podziw dla mojej niezwykłej elegancji, ale wyczuwam, że wszyscy są trochę zakłopotani.

Nie wiem naprawdę, co mnie napadło, żeby tak się wystroić. Nie widzę Tii, pewnie już śpi. Nie widać też nigdzie żadnych zabawek. Siedzimy przy stole i rozmawiamy. Señora Ramos pyta o mój dom. Mówię jej o swoich dokonaniach i wychwalam jej córkę. Dolores wstaje od stołu i idzie do kuchni. Wraca z winem i napełnia kieliszki.

– Czy mam znów kiedyś przyjść, señor? – Nie podnosi wzroku.

– Ależ oczywiście, jeśli tylko chcesz, Dolores. – Patrzę na panią Ramos. Ona z kolei spogląda na Dolores. – Nie ma już wiele do prania, ale chciałbym, żeby ktoś posprzątał mi w domu. Jest w takim samym stanie jak moje ubrania.

– Wobec tego przyjdę w poniedziałek rano.

Kiwam głową. Señora Ramos wstaje i wnosi kolację: ziemniaczany omlet i półmisek małych małży.

Maczamy chleb w sosie spod małży i popijamy białe wino. Może piję trochę za dużo, ale czuję się bardzo zmęczony. Señora Ramos gładzi moją rękę.

– Nie może pan tak ciężko pracować, señor.

Należy do osób, które przejmują się nie tylko swoimi sprawami. Wychodzę dość wcześnie, ale najpierw każę im obiecać, że za tydzień oni złożą mi wizytę.

W niedzielę budzę się późno, zjadam śniadanie, pakuję do torby lunch i nakładam Jozuemu kosze. Wychodzimy na drogę do Mijas, krążę po okolicy tak długo, aż wreszcie znajduję ścieżkę wiodącą do kopalni. Na wzgórzu układam się wygodnie i ucinam sobie drzemkę. Po lunchu ładuję do koszy trochę czarnych kamieni i sprowadzam Jozuego po stoku. Idziemy powoli; kiedy docieramy do domu, jest już ciemno. Wyładowuję kamienie. Wykorzystam je do budowy kominka. Zasypiam od razu i śpię jak suseł, pomimo popołudniowej drzemki.

Nazajutrz budzi mnie ranek różowy i rześki. Rwę się do pracy. Najpierw mieszam zaprawę i dopasowuję kamienie, z których zrobię podstawę pod kominek. Potem wmurowuję stalowe podpory i obudowuję je kamieniami spojonymi cementem. Wyrównuję tę obmurówkę kawałkami kamieni i cementem, kiedy pojawia się Dolores. Przed nią biegnie Tia.

Macham im ręką i wchodzę do domu, żeby zebrać garderobę do prania, nie ma tego wiele. Zawijam wszystko w koszulę i wychodzę Dolores na powitanie. Witamy się i dziewczyna bierze ode mnie zawiniątko.

– To wszystko, señor?

– Tak, niestety, Dolores.

– A co mam zrobić, jak skończę z praniem?

Wchodzimy do środka; pokazuję jej, jak zeskrobywać kit z okien i cement z podłogi, posługując się żyletką. Najpierw jednak będzie pranie, więc biorę z przyczepy wiadro i napełniam je wodą. Dolores kuca i rozwiązuje tobołek z bielizną.

– Czy i dziś zjecie ze mną, Dolores?

Podnosi wzrok.

– Jeśli uwinę się z robotą, señor.

Zakręca wodę.

Wracam na szczyt wzgórza. Tia idzie za mną. Daję jej kilka drewnianych obrzynków, które mogą od biedy zastąpić klocki. Pokazuję jej, jak można je układać, i mała bawi się nimi cały ranek. To nie tylko urocza, ale i bardzo bystra dziewuszka.

Do południa kończę obudowę kominka. Ma trzydzieści centymetrów grubości; planuję, że przewód kominowy będzie miał średnicę dziewięć cali. Wkładam koszulę i wchodzę do domu. Dolores idealnie umyła okna, teraz pracuje nad podłogą w drugim pokoju. Ma wiadro pełne wody, czyści podłogę kolistymi ruchami. Kiedy wchodzę, podnosi wzrok.

– Jeszcze nie skończyłam, señor.

Znów zanurza szczotkę w wodzie.

– Skończysz innym razem, Dolores. Teraz chciałbym z tobą porozmawiać.

Biorę wszystko, co jest niezbędne, żeby przygotować lunch, i zanoszę do kuchni. Oglądam się za siebie. Dolores stoi w drzwiach. Wyciera ręce w fartuch. Grzbietem dłoni przygładza włosy. Kładę produkty na stole. Dolores podchodzi do Tii, która bawi się na klepisku, i bierze ją na ręce. Podchodzi z dziewczynką do mnie.

– O czym chciałby pan rozmawiać, señor?

Stawia Tię na ziemi i staje przede mną z założonymi do tyłu rękami. Kroję chleb na kanapki i wskazuję jej krzesło.

– Czy pomogłabyś mi przygotować jutrzejszą kolację, Dolores?

Uśmiecha się lekko.

– Chce pan powiedzieć, że umiał pan zrobić to wszystko... – wskazuje szerokim gestem to, co zbudowałem – ...a nie da pan sobie sam rady z kolacją dla czterech osób?

Uśmiecha się prowokacyjnie, dostrzegam w jej oczach figlarne błyski.

– To szczególna kolacja, Dolores. Barbecue.

Ściąga usta i marszczy brwi. Nie bardzo rozumie, o czym mówię.

– Przyrządzimy je na nowym palenisku i zjemy na zewnątrz, na świeżym powietrzu.

Rozważałem to już wtedy, kiedy ich zapraszałem. W domu byłby za duży tłok.

– Czy w Ameryce tak właśnie się je?

– Czasami, Dolores. Pomożesz mi?

– A co ja mam zrobić, señor?

– Będę potrzebował talerzy, sztućców i obrusa. Chciałbym też, żebyś pomogła mi w zakupach i w przyrządzaniu kolacji.

Wyrzucam to z siebie pośpiesznie, bo nie cierpię prosić o przysługi.

– Chętnie panu pomogę, señor.

Huśta Tię na kolanie, trzymając ją za ręce. Dziewczynka zaśmiewa się. Czuję ukłucie zazdrości.

Sporządzam listę zakupów i daję Dolores pieniądze. Płacę jej też za robotę, którą tak świetnie wykonała.

Siadamy, jemy sandwicze i pijemy wino. Dolores jest rozluźniona, rozmowa toczy się gładko. Robię kilka maleńkich kanapek dla Tii. Mała siada w cieniu stołu i pałaszuje je z apetytem. Okazuje się, że Dolores wie zadziwiająco dużo o kwiatach, drzewach i krzewach. Pokazuje mi też co najmniej sześć różnych rodzajów ptaków, które fruwają w pobliżu. Próbuje mnie nauczyć ich nazw po hiszpańsku, choć ja nie wiem nawet, jak się nazywają po angielsku. Inżynierów nie uczą takich rzeczy.

Udaje jej się zwabić kilka ptaszków podobnych do strzyżyków; karmi je okruszkami rzucanymi na ziemię. Potrafi gwizdać dokładnie jak te ptaszki, przysiągłbym, że jej uważnie słuchają.

Dolores zbiera się do wyjścia, choć ja mam wrażenie, że upłynęło zaledwie pięć minut. Wyciąga do mnie rękę. Po tej zimnej wodzie i szarym mydle jej dłoń zachowała zdumiewającą gładkość i delikatność. Moja Gerry zawsze miała fioła na tym punkcie i używała gumowych rękawiczek, nawet myjąc naczynia w zmywarce.

– Przyjdę w sobotę o trzeciej, señor. Zostawię Tię w domu z mamą. Potem przyjdzie razem z rodzicami.

Żegna się i idzie z Tią w stronę drogi. Nagle zatrzymuje się, zawraca, przebiega obok mnie i wpada do domu.

Zderzamy się w progu; Dolores niesie wiadro z brudną wodą.

– Przez pana zapomniałam to wylać, señor.

Biorę od niej wiadro.

– Biegnij do domu, Dolores. Tia została sama na drodze. Poza tym twoja matka będzie się niepokoić.

Rzuca mi krótkie spojrzenie i biegnie z powrotem.

Schodzę ze wzgórza i wylewam wodę.

Kilka kolejnych dni spędzam na budowaniu rusztowania. Mieszam zaprawę, napełniam nią wiadro, wchodzę na chwiejne rusztowanie i wciągam wiadro na linie. W taki sam sposób transportuję kamienie. Codziennie dobudowuję kawałek kolumny, aż wreszcie cała konstrukcja osiąga wysokość czterech metrów. Po wykończeniu wylotu przewodu kominowego zaprawą rozbieram rusztowanie, zamiatam i sprzątam narzędzia. Biorę prysznic i wkładam czysty dres.

Schodzę ze wzgórza, żeby spojrzeć na swoje dzieło z pewnej perspektywy. Kiedy zmrużę oczy, mogę sobie dokładnie wyobrazić, jak będzie wszystko wyglądało, kiedy skończę. Środkowy filar już wygląda monumentalnie. Robi się chłodno, wracam więc do domu i wślizguję się do śpiwora. Jestem naprawdę wykończony. Przychodzi mi do głowy, że upłynęło mnóstwo czasu, odkąd byłem po raz ostatni z kobietą czy choćby tego pragnąłem.

Rozdział XI

Rano rąbię suche gałęzie i rozpalam ogień, żeby zobaczyć, jak ciągnie mój kominek. Wynoszę drugi stół i krzesła na zewnątrz. Z kominem i postawionymi ścianami zaczyna to wyglądać naprawdę imponująco.

Szykuję się właśnie do zjedzenia lunchu, kiedy dostrzegam Dolores objuczoną dwoma wielkimi tobołami. Widząc, że biegnę w jej stronę, kładzie swoje brzemię na ziemi. Jest zarumieniona, mokra od potu.

– Strasznie mi przykro, Dolores. Nie sądziłem, że to będzie takie ciężkie. Przecież mogłem ci dać Jozuego.

– To nie tak daleko, señor.

Biorę tobołki. Są bardzo ciężkie. Ta dziewczyna jest silna jak mężczyzna. Idzie przede mną. Ma niebieską sukienkę i biały fartuszek. Wiatr podwiewa sukienkę, odsłaniając nogi do wysokości kolan. Słyszę, jak jej sztywna, nakrochmalona halka szeleści, jakby jakiś ptak trzepotał skrzydłami.

W pewnej chwili Dolores zatrzymuje się i patrzy na szczyt komina. Kładę tobołki na ziemi.

– A więc skończył pan, señor.

Rozwiązuje tobołki. W jednym są wiktuały, w drugim obrusy, serwetki, talerze i sztućce. Dolores wykłada wszystko na stół.

– Jest tego tyle, señor, że hiszpańska rodzina mogłaby się wyżywić przez tydzień.

Zestawiamy dwa kempingowe stoły i nastawiamy na ogień ziemniaki. Kiedy wracam, Dolores łuska groch. Siadam obok i też zaczynam łuskać. Dolores pracuje szybko jak automat, zręcznie naciska strąki kciukiem, groszek sypie się do miski. Jest cicho. Zerkam na nią ukradkiem. Jest taka żywa i tak jednocześnie skupiona.

– Dlaczego pan tu przyjechał, señor?

– Właściwie nie wiem, Dolores.

Przysuwam do siebie porcję strąków do łuskania.

– Może nie podobało mi się tam, gdzie byłem. Nie potrafiłem tam już być szczęśliwy.

– Nie znamy nawet pana imienia, señor. Nigdy pan nam nie powiedział, jak panu na imię. Przecież ma pan chyba jakieś imię, prawda?

Śmieję się i mówię, jak mam na imię, ale dla Hiszpanki to nie do wymówienia.

– Muszę przybrać jakieś nowe, Dolores, najlepiej hiszpańskie.

– W domu mówimy na pana señor Rubio.

Uśmiecha się do mnie i opuszcza wzrok. Po angielsku brzmiałoby to pewnie „Red" lub „Whitey".

– To świetne imię, Dolores. Okej, señorita Ramos, pozwoli pani, że się przedstawię: señor Rubio.

Unoszę się lekko i skłaniam głowę. Jeszcze przez jakiś czas łuskamy groch. Słońce przygrzewa, wieje łagodny wietrzyk.

– Mówił pan, że miał pan żonę, señor Rubio. Czy teraz jest pan żonaty?

– Byłem, Dolores, ale już nie jestem.

– Och, bardzo mi przykro, señor.

Wyczuwam z tonu, że jest jej naprawdę przykro. Powinienem zmienić temat.

– Rozwiedliśmy się, Dolores. Prawie rok temu.

Milczy, łuska ostatnie strączki. Wydaje mi się, że dochodzenie „inkwizycji" jest skończone. Chcę rozmawiać, ale nie zamierzam się z niczym narzucać.

– Musi być panu ciężko, señor.

– Początkowo było, Dolores, ale jest już lepiej. Życie się toczy i człowiek zapomina.

– Ale co z pana dziećmi, señor? Dla nich to musi być straszne.

– Nie mieliśmy dzieci, Dolores.

Patrzy na mnie, jakbym był jakimś kaleką. Nie chcę się nad tym rozwodzić. Zresztą nie wiem, jak to wyjaśnić. Gerry lubiła swoją pracę w wydawnictwie i nie mogłem od niej żądać, żeby ją rzuciła. Miała rację, kiedy twierdziła, że nie może jednocześnie zajmować się dzieckiem i kontynuować kariery. Kiedy oświadczyłem, że z przyjemnością rzucę pracę i zajmę się domem, roześmiała się tylko. Tymczasem ja lubię zajmować się domem i myślę, że świetnie radziłbym sobie z dzieckiem. Nie wiem, dlaczego wszyscy uważają, że to taki szalony pomysł. Potem w jakiś sposób zaważyło to także na sprawach seksu i to był koniec wszystkiego.

Bez względu na to, jak często o tym myślę, do dziś nie potrafię precyzyjnie określić momentu, w którym wszystko runęło. Gerry powiedziała tylko, że po prostu już mnie nie kocha, i to wszystko. Brzmiało to nawet sensownie: jeśli można się zakochać, to można się też odkochać. Ale czasami bywa to bardzo trudne.

Dolores zmiata puste strączki i zawija je w gazetę. Zgarnia wyłuskany groch na stos i zbiera rogi serwety. Idę z nią do przyczepy. Wrzuca groch do jednego z moich największych garnków i wręcza mi go.

– Proszę nalać wody, señor Rubio, tyle żeby zakryła groch.

Wróciwszy, odwijam jedną z paczuszek leżących na stole.

– Dolores, jestem głodny. Może byśmy coś zjedli?

– Proszę usiąść, señor, a ja szybko coś zrobię. Gdzie pan gotuje?

Pokazuję jej kuchenkę w przyczepie i lodówkę.

– Strasznie tu ciasno, señor.

Wychodzę. Po kilku minutach Dolores ponownie rozkłada obrus, talerze i sztućce, potem wyjmuje z zawiniątka małże i krewetki. Patrzę nieco zdziwiony: tego nie zamawiałem. Gotuje to wszystko i robi omlet, dodając kilka małych ziemniaczków, które akurat się ugotowały.

– Dolores, twój Antonio strasznie utyje, jeśli będziesz mu tak dogadzać.

Antonio to narzeczony Dolores; jest teraz w wojsku. Natychmiast orientuję się, że to głupia odzywka. Może Gerry miała rację, kiedy twierdziła, że nie mam żadnego wyczucia. Zawsze reflektuję się poniewczasie, że palnąłem jakieś głupstwo: mam coś w rodzaju „retroaktywnej" wrażliwości.

Dolores ignoruje moją uwagę i nabija na widelec małża. Dopijam drugi kieliszek chłodnego, białego wina i czuję łagodne ciepło gdzieś w okolicach uszu. Potem popełniam kolejną gafę.

– Dolores, co to właściwie znaczy *novia*?

Początkowo wydaje mi się, że mnie nie słyszy, bardziej jednak prawdopodobne jest to, że nie chce mnie słyszeć. Próbuję kontynuować, naprawiając jednocześnie niezręczność.

– U nas słowo „zaręczony" oznacza kogoś, kto zamierza się pobrać. Czy *novia* to to samo?

Boże, jak to idiotycznie zabrzmiało! Dolores milczy przez chwilę, potem odkłada widelec.

– To tylko przyrzeczenie małżeństwa, señor Rubio. *Novio* może przychodzić do domu swojej *novia*, mogą iść razem do teatru i tak dalej. Antonio jest moim *novio*. – Urywa, ale mam wrażenie, że chce powiedzieć coś jeszcze, więc czekam. – W Ameryce można to wszystko robić nawet, jeśli się jeszcze nie jest *novia*; czy to prawda?

Kiwam głową.

– I dziewczęta chodzą same; czy one się nie boją, señor?

– Boją się tylko rodzice, Dolores.

Kolejna próba żartu i kolejny niewypał.

– I ludzie nie biorą ich na języki, señor?

Próbuję zwięźle opisać typową w Ameryce sobotnią randkę w kinie, włącznie z pettingiem w drodze powrotnej do domu. Zastanawiam się, jak się to teraz nazywa. Prawdopodobnie nie ma żadnego kina ani samochodu, tylko biorą się od razu do rzeczy – „Przyjdź na chatę, będzie miło".

– W Hiszpanii coś takiego nigdy się nie zdarza, to niemożliwe, señor.

– Dlaczego, Dolores? Na czym polega różnica?

Sznuruje wargi, zanim w końcu odpowie.

– Hiszpańscy chłopcy są inni, señor Rubio. Dziewczyna nie może zostać z chłopakiem sama. Oni są... za silni.

Ciemny rumieniec wykwita z wolna na jej twarzy. Odwraca głowę. Może to sprawa wina, a może moja samotność i długi post pobudzają moją skłonność do flirtowania, w każdym razie prę dalej.

– Czy *novio* nie może nawet pocałować dziewczyny przed ślubem, Dolores?

Dziewczyna jest czerwona jak mak, tylko wokół oczu pozostały białe plamy. Moje pytanie jest podstępne. Jestem pewien, że Dolores będzie kłamać.

– Dziewczyna musi być bardzo ostrożna, señor.

– W jakim sensie, Dolores?

– Czasami trudno tak długo czekać. Dziewczyna musi decydować. Czasem ślub trzeba wziąć natychmiast. A czasem *novio* nie chce się żenić, señor. Dziewczyna musi być bardzo ostrożna. – Znów patrzy na mnie. – W Ameryce jest chyba tak samo, prawda?

Kiwam głową i wstaję od stołu, żeby pozmywać. Nie chcę się wdawać w dyskusję o pigułce z siedemnastoletnią hiszpańską dziewczyną. Zbieram talerze i kubki. Przywołuje mnie gestem, żebym usiadł z powrotem.

– Ja to zrobię, señor. Tu jest Hiszpania, señor Rubio, nie Ameryka.

Kiedy naczynia są już pozmywane, zabiera się do robienia sałatki ziemniaczanej, potem pomagam jej przy *tapas*. Robię sos i układam steki w zalewie. Trochę rozmawiamy, ale przeważnie panuje milczenie. Owijam kilka wielkich ziemniaków folią aluminiową, którą przywiozłem z Paryża. Upiekę je potem w gorącym popiele.

O zachodzie słońca wszystko jest gotowe. Dolores zdejmuje fartuszek i siadamy przy palenisku. Migotliwy pomarańczowy blask rozświetla gęstniejącą ciemność. Wkładam ziemniaki do popiołu. Dolores najwyraźniej sprawia przyjemność wpatrywanie się w tę grę świateł. Nic nie mówimy, ale tak jest dobrze.

W pewnej chwili dostrzegam na drodze nadchodzących państwa Ramos. Witamy ich na progu. Señora Ramos szepcze coś Dolores do ucha i obie wybuchają śmiechem. Don Carlos ściska mi dłoń. Odstępuję mu miejsce w pobliżu kominka. Señora Ramos zajmuje miejsce córki. Dolores rozściela koc na cementowym podeście przed kominkiem i oboje siadamy na nim. Señor Ramos zadziera głowę i patrzy w górę.

– Aa, wieża Babel. W ten sposób nie dostanie się pan do nieba, señor.

Odblask płomieni pada na wznoszące się pionowo słupy. Noc jest pogodna, niebo rozgwieżdżone. Wstaję i nagarniam pogrzebaczem gorący popiół na ziemniaki.

– Wiesz, mamo, co robi ten człowiek? – pyta Dolores.

Odwracam się i patrzę na nią zdziwiony. Dolores robi pauzę, po czym wyjaśnia:

– Gotuje po amerykańsku. To strasznie prymitywni ludzie.

Rzuca mi szybkie, badawcze spojrzenie. Usiłuję wyjaśnić, co to jest barbecue, a tymczasem Dolores nadal stroi sobie żarty z amerykańskiego jaskiniowca. Mam wrażenie, że señora Ramos odbiera je dobrze, ale nie jestem pewien; w końcu jesteśmy w Hiszpanii. Przynoszę wino, Dolores napełnia kieliszki. Trzymaliśmy wino całe popołudnie w zimnej wodzie. Dolores stawia na stole *tapas*. Señor Ramos nabija kawałek szynki na wykałaczkę i przygląda się jej uważnie, jakby to był okaz egzotycznego motyla na szpilce.

– Hm, wygląda nawet znajomo.

Wkłada szynkę do ust i wrzuca wykałaczkę do ognia.

Teraz spowijają nas niemal całkowite ciemności. Nasze głosy ulatują w mrok. Idę po steki. Kiedy patrzę na dawne klepisko z pewnej odległości, wydaje mi się na tle gór strasznie małe.

Przysuwamy stoły do ognia, zapalam lampy. Zawieszam ruszt z mojego turystycznego grilla nad żarzącymi się węgielkami i kładę na nim steki. Piekę je tylko po kilka minut z każdej strony; żar jest naprawdę gorący. Wyciągam ziemniaki z ognia i odwijam z folii. Dolores mi pomaga. Układamy na talerzach steki, przekrojone, posolone ziemniaki z kawałkiem masła, świeży groszek i sałatkę ziemniaczaną. Obserwuję señorę Ramos. Nabija ostrożnie kawałek ziemniaka na widelec, wkłada go do ust, smakuje, przełyka i bierze następny, większy.

– To bardzo smaczne, señor.

Ulżyło jej bardziej niż mnie. Mięso jest dobre, nie za twarde. Dolewam wina i wyjmuję następną porcję ziemniaków z popiołu.

Pałaszujemy dziesięć ziemniaków, dwa funty steków, cały groszek i prawie całą sałatkę. Po trzeciej butelce zaczynamy śpiewać. Zaczyna señor Ramos kilkoma starymi hiszpańskimi piosenkami. Ma „mały", ale czysty głos. Potem Dolores śpiewa z matką flamenco. Señor Ramos klaszcze i pokazuje mi, jak należy to robić. Zmuszają mnie do odśpiewania niepewnym głosem piosenki *Home on the Range* i topornej wersji songu *I've Been Working on the Railway*. Śmieją się i biją brawo. Dolores nachyla się ku mnie.

– Te piosenki są takie smutne, señor. Proszę zaśpiewać coś weselszego.

Szczerze mówiąc, nic nie przychodzi mi do głowy. Znam słowa jakichś pięciu piosenek na krzyż, w tym kilka pierwszych wersów hymnu narodowego.

Señora Ramos pociąga męża za rękaw.

– Chodźmy już Carlos. Jest późno.

Zwraca się do mnie.

– W niedzielę nie można go dobudzić, kiedy trzeba iść do kościoła. Potem stoi gdzieś z tyłu i kiwa się, jakby go podtrzymywał jakiś sznurek zwisający spod sklepienia.

Señor Ramos wstaje. Żegnamy się. Dotyka lekko mojego zarostu.

– Niech pan wpadnie do zakładu, to pana ogolę, panie jaskiniowcu.

Nie zgadzają się, żebym odwoził ich do domu. Obiecuję, że w niedzielę odwiozę wszystkie ich rzeczy. Opieram się o jeden ze słupów i patrzę, jak moi goście znikają za zakrętem oświetlonej księżycem drogi. Potem gaszę ogień; posprzątam wszystko jutro.

Rozdział XII

Przez dwa tygodnie pocę się w upalnym słońcu, windując i mocując wielkie krokwie. Kolejne dwa tygodnie upływają mi na łączeniu sześciocalowych desek na wpusty i pióra. Od rana przycinałem je na odpowiednią długość ręczną piłą, potem, po południu wdrapuję się na dach i przybijam je. To naprawdę koszmarna robota.

W końcu pozostaje już tylko kilka desek do przybicia. Przykładam każdą po kolei, żeby sprawdzić, czy pasuje, potem przybijam. Trzymam zapas gwoździ w ustach, więc cały czas czuję na języku metaliczny posmak. Lato zapanowało na dobre i nawet kiedy słońce opuszcza się na nieboskłonie, pot leje się ze mnie strumieniami.

Od kilku tygodni jeżdżę do miasta tylko po to, żeby zaopatrzyć się w żywność. Dolores przychodzi z Tią regularnie w poniedziałki i zwykle jedzą ze mną lunch. Tia ośmieliła się na tyle, że podczas przerw w pracy bawię się z nią w „samolot" i w „karuzelę". Noszę ją na barana, staje mi na butach i chodzimy w kółko, nasze zabawy są proste, ale jest przy tym mnóstwo śmiechu i przy okazji świetnie się odprężam po ciężkiej pracy. Rodzice Dolores ponawiają zaproszenia na kolację, ale zwykle wieczorami jestem zbyt zmęczony. Dni, w których przychodzą Dolores z Tią, dają mi wiele radości. Od razu lepiej mi się pracuje.

Pewnego dnia Dolores opowiada mi podczas prania o tym, jak poznała Antonia. Innym razem czyta mi jeden z jego listów z Madrytu. Nie przypomina to w ogóle listu miłosnego; być może czytając, zataja niektóre fragmenty.

Jeszcze innego dnia zaczyna mnie wypytywać o moje małżeństwo. Próbuję jej wyjaśnić, jak doszło do jego rozpadu. Nie za bardzo mi się to udaje. Problem w tym, że sam wciąż nie rozumiem, co się właściwie stało. Jest pewnie mnóstwo racjonalnych przyczyn, ale ja i tak niczego nie rozumiem.

– Czy pan ją kochał, señor?

Otóż to, w tym sedno sprawy. Gerry powiedziała mi kiedyś, tuż przed rozwodem, że nie sądzi, abym mógł kochać jakąkolwiek kobietę, bo nie potrafię żadnej tak naprawdę poznać; kobiety są dla mnie jakimś innym „gatunkiem" stworzeń. Uważałem, że kocham Gerry, ale ona miała rację – nie potrafiłem nawet określić, na czym polega miłość. Nie miałem o tym pojęcia. Rozmyślałem dużo od tamtej pory, ale nadal nic nie wiem.

– Kochałem ją bardzo, Dolores.

Gerry stwierdziła, że skoro ją naprawdę kochałem, to powinienem był jej o tym mówić, ja zaś myślałem, że to dla niej oczywiste. To mój kolejny problem: wciąż zapominam, jak łatwo ludzie wyrzucają z pamięci pewne sprawy, i nie odczuwam potrzeby ciągłego przypominania o nich. W Lockheed miałem wciąż ten problem: uważałem, że pewne rzeczy zostały uzgodnione, a potem odkrywałem ze zdziwieniem, że nikt niczego nie pamięta.

Dolores zapatrzyła się gdzieś w przestrzeń. Próbuję obmyślić jakiś nowy temat. Ale ona odzywa się pierwsza:

– Myślę, że kocham Antonia. Jest dla mnie bardzo miły i wiem, że mnie kocha. Ale nie mówimy o tym wiele. – Patrzy mi prosto w oczy. – On chce się ze mną ożenić, a ja nie lubię, jak tańczy z innymi dziewczynami. Czy to nie jest miłość, señor Rubio?

O Boże! No i radź tu coś zakochanym!

– Nie wiem, Dolores. Pamiętaj, że ja nie jestem w tych sprawach zbyt dobry. Moja żona się ze mną rozwiodła.

Przypominając sobie tę rozmowę, wsuwam kolejną deskę. Jest trochę wypaczona, ale dociskam ją mocno i przybijam.

Moje wywody w „kwestii miłosnej" na tym się nie skończyły. Wyjeżdżam ze swoją kolejną „mądrością" życiową.

– Słuchaj, Dolores, a może miłość jest czymś, czego wszyscy pragną, a nikt nie osiąga? Może to pustka, której nie można wypełnić? Jak pojęcie Boga?

Teraz obrażam nawet jej religię. Dolores nie odzywa się; jestem pewien, że ją uraziłem.

– Czy właśnie tak było z panem i pańską żoną, señor Rubio? Tylko pustka?

Nie chcę już o tym rozmawiać. Nie ma to najmniejszego sensu.

– No cóż, Dolores, moja żona chciała więcej, niż mogłem jej dać.

Urywam, trudno mi o tym mówić wprost.

– I znalazła sobie kogoś innego.

Od tej rozmowy upłynął prawie tydzień. Ostatnią deskę przycinam ukośnie. To najtrudniejsze zadanie. Wpycham ją na siłę i wstaję, żeby wyprostować grzbiet. Widok z dachu zapiera dech w piersiach. Jestem śmiertelnie zmęczony, cały obsypany trocinami, czuję je w kącikach ust i oczu. Wychylam się za krawędź dachu, żeby splunąć, i w tym samym momencie dostrzegam wyłaniającą się zza zakrętu Dolores. Tym razem jest bez Tii. Szybko zjeżdżam po dachu i zeskakuję z ponaddwumetrowej wysokości. Usiłuję jakoś się otrzepać i doprowadzić do porządku, ale okazuje się to niemożliwe. Biorę mój podkoszulek z kozła do piłowania drewna, gdzie rzuciłem go rano, i wciągam pośpiesznie na grzbiet. Jest tak nagrzany, że aż się wzdrygam. Dolores zatrzymuje się na sekundę, potem wchodzi wolnym krokiem. W swojej niebieskiej sukience wygląda cudownie świeżo. Trudno uwierzyć, że przyszła tu z miasteczka pod palącym słońcem. Musiała iść boso, bo jej pantofelki zachowały śnieżną białość. Jej koronkowy szal powiewa na wietrze.

– Wygląda to pięknie, señor Rubio.

Ku memu zaskoczeniu podchodzi do mnie i pociąga mnie za brodę. Nie goliłem się ponad miesiąc.

– Ojciec powiedział, że musi pan się ogolić i przyjść do nas na kolację. Jeśli pan nie przyjdzie, obrazi się.

Puszcza moją brodę, cofa się o krok i wybucha śmiechem. Patrzę po sobie i rozkładam ręce. Prawdziwy obraz nędzy i rozpaczy. Garbię się i niezdarnie jak niedźwiedź zbliżam się do niej powoli, szurając nogami. Dolores cofa się i chowa za kozłem. Nagle wraca moje śmiertelne zmęczenie, osuwam się na krzesło.

– Musi się pan umyć, señor Rubio, a ja tu posprzątam. Bierze miotłę, a ja wchodzę do domu, żeby się wykąpać i przebrać.

– Nie patrz w tę stronę, Dolores. Będę się kąpał.

Potrząsa miotłą i odwraca się. Umyty i przebrany czuję się znacznie lepiej. Podłoga jest idealnie zamieciona, wygląda jak wielki parkiet w sali balowej, zaczynam więc tańczyć wolnego walca z nie istniejącą partnerką; Dolores patrzy i się śmieje. Potem sama zaczyna tańczyć z miotłą. Zatrzymuję się, odrzucam miotłę na bok i chwytam Dolores w ramiona. Opierając się lekko, wykonuje kilka tanecznych pas, po czym odpycha mnie gwałtownie. Szal zsunął jej się z głowy.

– Nie wolno tego robić, señor Rubio. Ktoś może zobaczyć. – Rzuca szybkie spojrzenie na drogę. Zawiązuje mocniej szal. Patrzy w ziemię, potem podnosi wzrok. – Musi pan być ostrożny, señor Rubio. To jest Hiszpania, nie Ameryka.

– Przepraszam, Dolores. Nie miałem złych zamiarów.

– Tak, wiem. Tak samo uważają moi rodzice, inaczej nie mogłabym tutaj przychodzić. Ale musi pan się bardziej pilnować. No dobrze, chodźmy już, bo mama się będzie niepokoić.

Uśmiecha się; ruszamy do miasta. Powietrze jest nagrzane, jakby jedwabiste i jednocześnie parne. Tak gęste, że można by się unieść i płynąć nad ziemią. Dwa króliki śmigają przez drogę. Dolores pokazuje na niebo na zachodzie.

– O, niech pan spojrzy: pierwsza gwiazda.

Nachylam się, żeby zobaczyć, gdzie dokładnie pokazuje, a ona odwraca twarz w moją stronę. Patrzę na nią z bliska, Dolores odsuwa się lekko. Uśmiecham się do niej; odpowiada uśmiechem i odwraca wzrok. Zaczynam się głośno śmiać, ale wiem, że muszę uważać, żeby jej nie spłoszyć. Nie chciałbym stracić jej towarzystwa, ale nie chcę się też za bardzo wikłać. Wenus odprawia swoje czary.

Na skraju miasteczka Dolores skręca w stronę domu, a ja idę do zakładu jej ojca. Don Carlos czyta gazetę w świetle odbitym przez lustro. Założył nogę na nogę, widać białe golenie i czarne, podtrzymywane podwiązkami skarpetki. Spogląda na mnie sponad gazety, odkłada ją i wstaje. Witamy się serdecznie, klepie mnie po ramieniu.

– No, w końcu udało się nam wywabić pustelnika z jego pieczary.

Przeciąga grzbietem dłoni po mojej brodzie, potem prowadzi mnie w stronę krzesła. Siadam wygodnie i zaczyna się operacja. Najpierw skraca mi brodę nożyczkami. Patrzę na to z niechęcią. Nie zapuszczałem brody umyślnie; była w wiejskim krajobrazie czymś całkiem naturalnym w odróżnieniu od bród hodowanych w mieście, dla ozdoby.

– Wiedziałem, że Dolores nakłoni pana do przyjścia. Mówiła nam, jak pan ciężko pracuje; można by pomyśleć, że to jej dom, z takim przejęciem o tym opowiada. Ona jest jeszcze taka dziecinna, señor.

Potakuję. Pan Ramos rozprowadza pianę i zaczyna mnie golić, nie przestając mówić. Ja zachowuję milczenie.

– Jesteśmy bardzo zadowoleni, że w końcu zaręczyła się z Antoniem i może być z nami w domu, zajmować się Tią. Mamy tylko te dwie córki; Maria omal nie umarła przy porodzie. – Staje przede mną i wyciera brzytwę. Wymownym gestem przeciąga palcem po podbrzuszu, imitując cesarskie cięcie. – Przez dwa dni nie mogłem patrzeć na to dziecko, señor.

Znów nachyla się nade mną. Następuje pauza. Mam nadzieję, że skończył.

– Maria była kiedyś taka sama jak Dolores, señor. Drobna, ale silna. I bardzo piękna. – Zaczyna wykonywać rękami taneczne ruchy. – Bez przerwy tańczyliśmy. Żartowała sobie, że wyszła za mnie za mąż tylko dlatego, że dobrze tańczę.

Opowiada mi, jak czekali prawie dwa lata na pierwszą córkę.

– A potem o mało wszystkiego nie straciłem. Myślałem, że się zabiję, señor. Dzięki Tii udało mi się jakoś przyjść do siebie.

Przechyla krzesło i zaczyna mnie strzyc. Dotykam kontrolnie swojej twarzy, jest gładka i jakby odnowiona. Señor Ramos zmienia temat: opowiada teraz o miasteczku. Nożyczki szczękają i stukają o grzebień.

Ile upłynie czasu, nim się zadomowię w mojej nowej siedzibie? Już w tej chwili nie myślę o wodzie w taki sposób jak przedtem, o tym, że wydostaje się z głębi ziemi. Nie myślę też o wietrze, dzięki któremu tak się dzieje. To poczucie znikło; po prostu odkręcam zawór i woda leci. Może należy zapominać i o takich rzeczach, żeby poznawać nowe?

Señor Ramos okręca krzesło i zmiata miotełką włosy z moich ramion.

– Nie słucha mnie pan, señor Rubio. – Po raz pierwszy zwraca się do mnie, używając tego imienia. – Mówiłem, że powinien pan mieć się na baczności. Señor Vincenti opowiada w miasteczku różne rzeczy. Mówi, że kradnie mu pan kamienie, zapowiada, że naśle na pana funkcjonariuszy Guardia Civil. Rozpytuje też w barze, dlaczego Dolores przychodzi do pana co tydzień. To bardzo zły człowiek, señor.

W jego głosie wyczuwam strach. Siedzę przez chwilę w milczeniu i próbuję coś z tego zrozumieć.

– Señor Ramos, policja może sobie przychodzić, kiedy chce; ja niczego nie ukradłem. Ale to, co mówi o Dolores, to poważna sprawa. Ludzie są zawsze skłonni uwierzyć w najgorsze. Może będzie lepiej, żeby Dolores nie przychodziła. Mogę sobie prać sam, a wtedy nie będzie pretekstu do plotek.

Wewnętrznie jestem przekonany, że tak byłoby najlepiej, ale wiem, że brakowałoby mi bardzo odwiedzin małej Tii.

– Nie, señor. Nikt mu nie wierzy. Wszyscy znają Dolores i wiedzą, że ona jest *novia* Antonia. Ale musi pan uważać na dom. To zły człowiek i może panu poważnie zaszkodzić.

– Posłucham pańskiej rady, señor Ramos, pan orientuje się najlepiej w tych sprawach. Ja jestem tylko cudzoziemcem.

Nie wiem, ile znaczą dla Dolores pieniądze, które ode mnie dostaje, i jednocześnie nie chciałbym urazić Ramosów. Ciekaw jestem, co wie o tych plotkach Dolores.

I znów don Carlos nie chce przyjąć zapłaty za golenie i strzyżenie. Zgodnie z codziennym rytuałem zamyka zakład i rusza w stronę domu. Nalegam, żebyśmy wstąpili do baru; chcę kupić parę butelek wina.

Od razu zauważam, że kiedy się tam pojawiamy, rozmowy milkną. Barman podchodzi do nas, żeby nas obsłużyć. Rozglądam się po salce. Jest, siedzi przy jednym z bocznych stolików. Płacę za wino i podchodzę do niego. Opieram się obiema rękami o blat jego stolika, ale Vincenti nie podnosi wzroku. Trzyma w dłoni kieliszek ciemnoczerwonego wina. Nachylam się nad nim, przygotowany na najgorsze. W końcu patrzy na mnie ciemnopiwnymi oczami o żółtawych białkach. Usiłuję mówić pewnie, ale głos mi drży.

– Za dużo pan gada, señor Vincenti.

Siedzi nieporuszony. Mam nadzieję, że chluśnie mi winem w twarz, co byłoby świetnym pretekstem do tego, żeby mu przyłożyć.

– Jeśli pan z tym nie skończy, wyrwę panu pański czarny jęzor.

Prostuję się i stoję nad nim nieruchomo. Jestem przygotowany na to, że wyciągnie nóż, ale nie robi tego. Zaczynam czuć się śmiesznie. W barze zapada śmiertelna cisza. Odwracam się. Señor Ramos czeka z winem; wracam do niego i kierujemy się do wyjścia. W drzwiach odwracam się i mówię z naciskiem:

– Niech pan dobrze zapamięta, co powiedziałem, señor Vincenti.

Wychodzimy na ulicę. Jestem tak wzburzony, że sadzę wielkimi krokami, zapominając o panu Ramosie. Zwalniam dopiero wtedy, kiedy pociąga mnie za rękaw. Aż trzęsę się wewnętrznie.

– Nie wiedziałem, że pan taki ostry, señor Rubio; nic pan dotąd nie dał po sobie poznać.

Przystajemy dla zaczerpnięcia oddechu. Señor Ramos mówi z uśmiechem:

– Nigdy nie zapomnę tego potu na jego twarzy. Strasznie go pan upokorzył. Musi pan być ostrożny, señor Rubio, on potrafi być bardzo niebezpieczny.

Otwiera nam Dolores. Señor Ramos idzie z winem do kuchni. Dolores rzuca mi szybkie spojrzenie, po czym idzie za ojcem do kuchni. Z ulgą siadam, żeby trochę ochłonąć. Słyszę, jak señor Ramos opowiada coś w kuchni podnieconym głosem. Señora Ramos zagląda, uchylając zasłonę. Ucisk w moim żołądku ustępuje z wolna. Wchodzi Dolores z obrusem i nakrywa stół. Zerka na mnie co chwilę.

– Wygląda pan teraz zupełnie inaczej. Widać przynajmniej znowu pańską twarz.

Obchodzi stół i wygładza obrus przede mną. Potem idzie do kuchni i wraca z zastawą i sztućcami. Wprawnie i szybko rozkłada duże, białe talerze i kładzie obok nich masywne widelce, noże i łyżki. Miło jest patrzeć, jak się krząta. Stawia na środku stołu sól, oliwę i ocet. Znów czuję się odprężony. Lubię obserwować kogoś, kto naprawdę zna się na swojej robocie. Tia siedzi mi na kolanach i zaśmiewa się, kiedy zaczynam ją znienacka podrzucać, udając wierzchowca.

Señor Ramos schodzi z góry. Przebrał się w czystą, białą koszulę, ale zawinął rękawy i ma rozpięty kołnierzyk. Dolores przynosi mu miękkie domowe pantofle. Wchodzi señora Ramos, siadamy wszyscy do stołu, na którym stoi kamienny rondel z pokrywką, półmiski i mnóstwo innych salaterek i talerzy. Atmosfera jest bardzo rodzinna. Señor Ramos otwiera butelkę białego wina i nalewa do kieliszków. Potem podnosi swój z namaszczeniem. Co się tu szykuje?

– Señor Rubio – zaczyna – pozwoli pan, że tak się będę do pana zwracał...

Kiwam głową z uśmiechem.

– Señor Rubio, nie ma pan tu, w Hiszpanii, rodziny. Chcielibyśmy, żeby pan uważał nas za swoją rodzinę.

Czeka na moją reakcję zakłopotany. Nie wiem, czego ode mnie oczekują. Señor Ramos siada. Wszyscy wyraźnie czekają na odpowiedź. Wstaję i zaczynam:

– Dziękuję, señor Ramos. – Patrzę na panią Ramos. – Wprawdzie jestem trochę za stary, señora, żeby być pani synem... – Pani Ramos zakrywa twarz rękami. – ...ale z wielką przyjemnością zostanę pani bratem.

Don Carlos kiwa z aprobatą głową, jego żona się śmieje. Zwracam się do Dolores.

– To znaczy, Dolores, że jestem twoim wujem.

Mrugam do pana Ramosa, wznosimy wszyscy kieliszki i pijemy. Mam nadzieję, że to, co powiedziałem, nikogo nie uraziło.

Zaczynamy jeść. Niosę do ust kawałek kurczaka, kiedy pani Ramos pyta mnie o prace przy domu, używając wyrazów, które znam ze słownika, ale których teraz jakoś nie potrafię wymówić. Są rozbawieni; to pierwsze słowa, jakie wypowiadają hiszpańskie dzieci.

Do końca wieczoru, ilekroć się przejęzyczę, pokrywam zmieszanie, pociągając łyk wina. Sprawia mi wielką przyjemność posługiwanie się formami, które są w Hiszpanii zarezerwowane dla najbliższej rodziny, i używanie takich słów, jak „kochani", „dzieci" i „Bóg".

Rozdział XIII

W sobotni poranek żar zdaje się lać z nieba. Wyłażę ze śpiwora i kładę się na wierzchu. Myślę o Vincentim: co właściwie może mi zrobić? Przewracam się na bok i patrzę na spalone spiekotą wzgórza. W oddali widać morze, aż białe w promieniach słońca. Vincenti nie odważy się nic zrobić; jest zbyt tchórzliwy.

Wstaję i chodzę boso po kamiennej posadzce. Dolores pięknie ją zamiotła. Wychylam się i trzymając się jednego ze słupów, wystawiam twarz na słońce. Jest niemiłosiernie gorąco. Morze lśni srebrzyście, postanawiam podjechać tam samochodem i popływać. No bo mieszkam tak blisko fantastycznych plaż i jeszcze ani razu nie kąpałem się w morzu!

Po śniadaniu wydobywam z dna worka swoje kąpielówki. Jeśli nie liczyć jednej wizyty w Klubie Amerykańskim, gdzie mają kryty basen, to woziłem je po całym świecie i ani razu ich nie wykorzystałem.

Poję Jozuego, potem ponownie napełniam wiadro i myję z grubsza samochód. Stał, nie używany, przez prawie miesiąc, ale silnik zapala po trzeciej próbie. Zjeżdżam po wyboistej dróżce ku drodze do miasta. Z góry, z kabiny, wszystko wydaje się mniejsze, niż jest w rzeczywistości. W kabinie pachnie przyjemnie skórą i rozgrzanym metalem. Myślę sobie, że dobrze byłoby się zatrzymać przed domem Ramosa i zapytać, czy nie wybraliby się też na plażę.

Otwiera mi señora Ramos. Moja propozycja zostaje przyjęta entuzjastycznie; Dolores i señor Ramos idą na górę, żeby wziąć stroje kąpielowe. Pani Ramos postanawia zostać w domu, żeby ugotować obiad. Nie mogę jej nakłonić, żeby pojechała z nami. Upiera się też, żeby Tia została w domu, bo mogłaby dostać udaru słonecznego. Jestem zawiedziony;

dziecko na plaży to wielka radość. Ciekaw jestem, czy mała budowała kiedykolwiek zamki z piasku. Byłoby fajnie pokazać jej, jak się to robi. Takie zabawy rozwijają zmysł estetyczny i pomagają w opanowaniu sztuki pisania.

Idziemy do samochodu: wszyscy troje mieścimy się na przednim siedzeniu. Jest nam całkiem wygodnie.

Dolores jest za tym, żeby jechać do Torremolinos, gdzie jest najlepsza plaża, wielka atrakcja dla turystów.

Zjechawszy ze wzgórza, folguję sobie nieco i rozwijam na biegnącej wzdłuż wybrzeża autostradzie maksymalną szybkość. Za każdym zakrętem otwiera się nowa perspektywa, nowy widok białego piasku, błękitnego morza, ciemnych klifów i skał. Łagodne, pachnące solą morską powietrze wpada do wnętrza samochodu. Dolores zamyka oczy i wystawia twarz na wiatr.

Wąską główną ulicą Torremolinos płynie rzeka samochodów. Jest tu całkiem tak samo jak w Laguna Beach albo w Acapulco: pełno turystów w szortach, sportowych strojach i sandałach. Znajduję miejsce do zaparkowania na tyłach kościoła. Zaciągamy zasłonki i Dolores wychodzi, żebyśmy się mogli przebrać. Potem wkładamy z powrotem wierzchnią odzież na kąpielówki i wychodzimy się przejść, a tymczasem przebiera się Dolores.

Prawie wszystko w mieście jest przeznaczone dla turystów; są tu sklepy z biżuterią, z pamiątkami i z modną odzieżą, często drogą i ekstrawancką. Jest też trochę sklepów dla miejscowej ludności – piekarnia, sklep mięsny i spożywczy. Są też liczne bodegi, winiarnie i bary.

Wracamy do samochodu; czeka na nas Dolores. Biorę koc, zamykam przyczepę i ruszamy w stronę plaży. Schodzimy długo po szerokich i niskich stopniach. Widać stąd położone na uboczu starsze dzielnice miasteczka, rybackie chaty, które w większości pozostały nie zmienione.

Wychodzimy na piaszczystą drogę biegnącą wzdłuż plaży. Po drugiej stronie ciągną się pola trzciny cukrowej i długie zagony goździków, które trafiają stąd na targ kwiatowy w Maladze. Droga się kończy, mijamy hotel Marcello i oto jesteśmy na plaży.

Zdejmujemy buty; piasek jest tak gorący, że puszczamy się z miejsca biegiem w stronę wody. Idziemy brzegiem w prawo, w stronę wysokiego klifu wrzynającego się w morze. Plaża nie jest aż tak zatłoczona, jak się spodziewałem. Znajdujemy odpowiednie miejsce i rozpościeramy koc. Jestem nieco zakłopotany tym, że ludzie na mnie patrzą, więc zdejmując spodnie, odwracam się w stronę morza. Układam ubranie na butach na brzegu koca i biegnę do wody. Najpierw brodzę, potem biorę krótki rozbieg i daję nurka. Woda jest ciepła i czysta. Płynę wolno i obserwuję mój cień na piaszczystym dnie. Przepłynąwszy jakieś pięćdziesiąt jardów, zawracam i patrzę w stronę brzegu. Biały pasek plaży aż się skrzy na tle ciemnego klifu. Niebo jest błękitne, bez jednej chmurki.

Udaje mi się wypatrzyć na brzegu Dolores i jej ojca, więc macham im ręką i zaczynam płynąć w ich kierunku. Czuję, że mięśnie ramion pracują znakomicie, od lat nie byłem w tak dobrej formie.

Dolores ma na sobie czarny staroświecki kostium kąpielowy i jest bez czepka; spięła tylko włosy metalowymi klamerkami. Señor Ramos przywdział zbyt obszerne bokserki. Rozebrany, ma skórę jeszcze bielszą niż na twarzy i rękach.

Ochlapuję wodą Dolores i dziewczyna ucieka z powrotem na piasek. Ma ciemną karnację z miodowym odcieniem i przy lekko zaokrąglonych biodrach jest tak smukła, że kostium marszczy jej się w talii.

– Niech ją pan nauczy pływać, señor Rubio. Boi się wody jak kot.

Stoi tuż przy brzegu, woda sięga mu do kostek, stopy grzęzną w piasku.

– Dobra. Chodź, Dolores, zrobię z ciebie syrenę.

Idzie ku mnie powoli, trzymając ręce nad głową i wyginając je wdzięcznie w przegubach. Kiedy woda sięga jej pasa, oblewa sobie ramiona.

– No więc najważniejsze to oswoić się z wodą. Weź głęboki wdech, zanurz się z głową i wypuść powietrze.

Patrzy na mnie, nabiera tchu i zanurza się zgodnie

z moją instrukcją. Ale głowa natychmiast wyskakuje, dziewczyna parska, wyżyma wodę z włosów, wyciera oczy.

– W ten sposób się utopię, señor Rubio. Nic nie widzę!

– Zamknij po prostu oczy i wypuść powietrze. No, spróbuj jeszcze raz.

Rzuca mi zdesperowane spojrzenie i zanurza się znowu. Tym razem idzie jej lepiej.

Uczy się szybko i po pięciu minutach nie boi się już wody. Teraz próbuję ją nauczyć unoszenia się na wodzie na wznak. To okazuje się znacznie trudniejsze. Dolores natychmiast wpada w panikę i odruchowo opuszcza nogi.

– Podaj mi ręce, Dolores. Nie podnoś za bardzo głowy. Będę cię holował.

Rzuca mi szybkie spojrzenie.

– Nie utopi mnie pan, prawda, señor?

Potrząsam przecząco głową i uśmiecham się. Dolores podaje mi ręce, zaczynam się cofać. Tym razem idzie jej dobrze. Patrzę w stronę brzegu, gdzie stoi pan Ramos. Jest już ubrany i przywołuje mnie, gestykulując gwałtownie. Puszczam Dolores i patrzę, jak się oddala, dryfując pięknie na wznak.

Idę do brzegu. Señor Ramos wskazuje na niewielki bar, który mijaliśmy po drodze.

– Señor Rubio, idę pokibicować karciarzom i napić się wina; jeśli nie wrócę, zanim pan skończy tę lekcję, proszę mnie wyciągnąć z baru.

Kiwam głową i macham mu ręką. Don Carlos pokazuje na Dolores.

– Jest pan dobrym nauczycielem, señor Rubio.

Odchodzi plażą. Daję nurka i wynurzam się tuż obok Dolores.

– Och, señor Rubio, przestraszył mnie pan! Myślałam, że to jakaś wielka ryba.

Chwilami wydaje się taka dziecinna! Mokre pasemka włosów spadają jej na oczy. Odgarnia je za uszy.

– No więc już nie tonę, ale też nie pływam.

Wymachując rękami, demonstruję jej, jakie powinna wykonywać ruchy. Przygląda się uważnie. Przypominają mi się czasy, kiedy uczyłem młodych ludzi pływać na obozie YMCA.

– Chwyć mnie za ręce, Dolores, i spróbuj.

Ogląda się w stronę plaży.

– Gdzie jest ojciec?

Mówię jej, dokąd poszedł don Carlos. Dolores chwyta mnie za ręce na wysokości łokci. Podtrzymuję ją na przedramionach.

– A teraz suń naprzód i wierzgaj nogami, Dolores.

Schylam się do jej poziomu; nasze twarze zbliżają się do siebie. Woda odchyla jej kostium na piersiach, staram się tam nie patrzeć. Jej oczy śledzą mnie pilnie. Opuszcza nogi i wzdryga się gwałtownie.

– Zmarzłam, señor Rubio. Muszę odpocząć.

Patrzę, jak wychodzi z wody. Poprawia niesforne włosy i idzie w stronę plaży, nie oglądając się za siebie.

Jestem, cholera, zbyt podniecony, żeby móc od razu się wynurzyć. Zaczynam płynąć kraulem w stronę wielkiej skały. Po pewnym czasie czuję, że ból rozsadza mi płuca, przewracam się więc na wznak i pozwalam się nieść wodzie. Potem dryfuję z wolna z powrotem wzdłuż plaży.

Kiedy wracam do Dolores, widzę przy niej dwóch hiszpańskich żołnierzy. Jeden z nich siedzi na kocu, Dolores odwróciła się do niego plecami. Schylam się po ręcznik. Żołnierz wstaje i odchodzi bez słowa razem z kolegą. Właściwie jest mi ich trochę żal. Musi im bardzo doskwierać samotność. Dolores odwraca się do mnie.

– Hiszpanie są wszyscy tacy sami, zwłaszcza żołnierze.

– Wszyscy mężczyźni i wszyscy żołnierze, Dolores. A jaki jest Antonio?

– Pewnie taki sam. Jest w końcu mężczyzną.

– Ja też jestem mężczyzną, Dolores.

Ignoruje moją uwagę. Wyciąga spinki z włosów i wkłada je do ust.

– Gdzie pan był? Rozglądałam się na wszystkie strony...

– Popłynąłem do tamtej skały.

To robi wrażenie. Mężczyźni są gotowi kłamać, żeby imponować. Dolores potrząsa głową, włosy opadają jej na ramiona.

– Jestem na pana zła, señor Rubio.

Patrzy na mnie spod ramienia, które uniosła, podtrzymując włosy. Ma pod pachą nieco jaśniejszą kępkę.

– Po pierwsze kazał pan ojcu, żeby sobie poszedł. Po drugie zostawił mnie pan na plaży samą, narażając na zaczepki żołnierzy.

Odwraca głowę i przyjmuje pozycję półleżącą, opierając się na łokciach. Jedną nogę ma zgiętą w kolanie: klasyczna poza piękności na plaży. Uśmiecham się; ciekaw jestem, czy robi to świadomie. Kładę się na brzuchu obok niej i zamykam oczy.

– Jeśli przyjdą jeszcze jacyś żołnierze, obudź mnie, to ich przepędzę.

Czas mija szybko. Słucham krzyków mew, szumu fal, warkotu awionetki; jest to owa cudowna chwila pomiędzy błogim snem a przyjemną jawą; czuję, jak miłe ciepło rozchodzi mi się z wolna wzdłuż grzbietu.

Otwieram oczy: Dolores klęczy obok mnie i posypuje mi plecy piaskiem. Nie ruszam się, ale mówię spokojnie to, co przychodzi mi do głowy.

– Jak nie przestaniesz, Dolores, wrzucę cię do wody.

Przestaje sypać i pochyla się nade mną, żeby spojrzeć mi w oczy.

– Wcale nie. Poskarżyłabym się ojcu.

Odwracam się do niej z uśmiechem.

– Syp dalej, a zobaczysz, co się stanie.

Nabiera znów garść piasku. Trzyma ją zawieszoną nad moimi plecami, patrząc mi w oczy. Potem ciska mi piasek we włosy, zrywa się i zaczyna uciekać w stronę morza. Wstaję i wytrzepuję piasek z włosów.

Dolores z pluskiem wbiega do wody. Wchodzę po kolana i daję nurka. Płynę za Dolores, wydając z siebie groźne odgłosy niczym wielka krwiożercza ryba, to znów chlapiąc i parskając jak wieloryb. Okrążam ją, a potem odpływam na głębię, gdzie jak wiem, Dolores nie sięgnie nogami dna.

– Daj się unosić wodzie, Dolores. Wierzgaj nogami. Zobacz, czy potrafisz dopłynąć do mnie.

Rzuca się natychmiast do wody i podpływa na odległość

ramienia. Kiedy jednak próbuje stanąć, traci grunt i wpada w panikę.

Chwytam ją błyskawicznie. Zarzuca mi ramiona na szyję, woda miota jej ciałem. Holując ją, idę w stronę płycizny, do miejsca, w którym będzie mogła stanąć. Patrzy na mnie z wyrzutem i wychodzi na brzeg.

Ja zostaję w wodzie i ćwiczę nowy styl pływania. Kiedy wreszcie wracam na koc, Dolores leży na brzuchu. Siadam obok niej. Odwraca twarz w moją stronę, ale oczy ma zamknięte. Patrzę, jak oddycha. W końcu otwiera oczy.

– Nie mogę się zapominać, señor Rubio. A gdyby tak zobaczył nas ojciec? W Hiszpanii tak nie można...

Mówi cichym głosem, tłumionym przez piasek. Przyglądam się jej wargom i zębom. Czuję się tak, jakbym próbował coś ukryć przed samym sobą. Dlaczego wszystko musi być zawsze takie skomplikowane? Dlaczego zawsze kończy się tak samo? Gerry miała rację: seks musi nieuchronnie zakłócić relacje pomiędzy kobietą i mężczyzną. Strzepuję piasek z koca; Dolores znów zamyka oczy.

Podnoszę się na kolana i przyglądam się jej z góry. Pada na nią cień mojej głowy; Dolores przewraca się na plecy i znów otwiera oczy.

– Musimy uważać oboje, Dolores – mówię. – To nie tylko twoja wina. – Biorę ją za ręce i pomagam jej wstać. – A teraz zaprowadzę cię do ojca.

Zaczynam zbierać ubranie. Wciągam spodnie na kąpielówki i patrzę, jak morze zmienia barwę z zielonej na błękitną, a potem na fioletową w miejscu, w którym styka się z zielonkawobłękitnym niebem. Wkładam podkoszulek, biorę buty i skarpety. Dolores wkłada spódnicę na kostium. Czarny opalacz wygląda jak stanik. To takie dziwne, wkłada coś na siebie, a wygląda, jakby była bardziej rozebrana. Bierze bluzkę i odwraca się, żeby ją włożyć.

Potem klęka na kocu, a ja siadam obok niej. Wyciąga z pantofla spinki i grzebień i przeciąga nim przez czarne włosy, aż grzebień wygina się w łuk. Związuje włosy wąską, niebieską wstążeczką. Spinki trzyma w kąciku ust, uśmiecha się do mnie krzywo. Upina włosy po bokach głowy.

– Proszę się na mnie nie gniewać, señor Rubio. Ja się już nie zapomnę.

Ruszamy plażą w stronę hotelu i szosy. Idziemy blisko siebie i w pewnej chwili nasze ręce dotykają się przypadkowo. Przystajemy, patrzymy sobie w oczy i oboje wybuchamy śmiechem. Bo to wszystko jest naprawdę zabawne. Nie miałem pojęcia, że i ona tak to odbiera. Brniemy przez piasek i ilekroć spojrzymy na siebie, parskamy śmiechem. Piasek nie jest już taki gorący.

Nie idziemy drogą, ale przez plażę, prosto do baru. Wchodzę do środka; Dolores zatrzymuje się na progu i zakrywa usta dłonią, tłumiąc śmiech. Widzę don Carlosa: przygląda się grającym w karty. Podnosi wzrok.

– Co się stało Dolores, że tak się śmieje, señor Rubio?

Podchodzi do drzwi i wygląda na zewnątrz. Przystawiam dwa krzesła do wolnego stolika i siadam.

– Pewnie śmieje się z moich wielkich stóp, señor Ramos.

Wystawiam spod stołu jedną z moich „czterdziestek piątek" i ruszam paluchem.

– Ona jest jak dziecko, señor Rubio. Czasami myślę, że nigdy nie stanie się naprawdę kobietą.

Przywołuje kelnerkę, zamawia wino, bierze swoją pustą szklankę z sąsiedniego stolika i siada naprzeciwko mnie. Bar jest zwykłym drewnianym podestem postawionym na piasku i przylegającym do tyłów niewielkiego budynku z nie wypalanej cegły. Zamiast dachu rozpięto brezentową płachtę, stoi tu kilka stolików i kilkanaście zdezelowanych krzeseł. Tęga kelnerka stawia przed nami dwie szklanki wina. Pijemy. W barze panuje przyjemny chłodek, wino spłukuje sól z mojego gardła. Señor Ramos patrzy ponad moją głową na stojącą przy wejściu córkę.

– Czasami robisz wrażenie dziesięcioletniej smarkuli, Dolores. Powinnaś przeprosić señora Rubio.

Dolores patrzy na mnie, a ja posyłam jej szeroki, nieszczery uśmiech. Dziewczyna odwraca się tyłem do nas. Señor Ramos wyciąga z kieszeni drobne i idzie zapłacić. Nie próbuję go zatrzymywać; powoli uczę się tutejszych obyczajów. Słońce przypieka jeszcze mocno, białe budynki rzucają brunatnofioletowe cienie. Dochodzimy do głównej ulicy, proponuję drinka w barze Central. Jest to największy bar w Torremolinos, przeznaczony głównie dla cudzoziemców, zbyt drogi dla miejscowych. Señor Ramos kręci głową.

– To zdziercy, biorą dziesięć peset za małe tinto.

Mrugam do niego porozumiewawczo.

– Warto zapłacić dziesięć peset, żeby popatrzeć na ładne dziewczęta.

Dolores odwraca się i grozi mi palcem.

– Wy, mężczyźni, jesteście wszyscy tacy sami. Powiem wszystko mamie!

Przy końcu ulicy skręcamy w stronę baru. Stoi nieco w głębi, tuż obok miejsca, z którego odchodzi autobus do Malagi. Nad ogródkiem rozpięta jest wielka jaskrawożółta markiza, pełno tu małych stolików i krzeseł. Wszystkie miejsca są zajęte. Przeciskamy się między stolikami i wchodzimy do środka. Tu nie jest tak tłoczno. Siadamy na wyplatanych krzesłach przy drewnianych stolikach z grubymi drewnianymi blatami. Przychodzi kelner, zamawiam dla wszystkich malagę dulce.

Na drugim końcu baru siedzi kobieta w obcisłej pomarańczowej sukni i białych plażowych pantofelkach. Twarz ma jasnobrązową, cerę nieskazitelną, jeśli nie liczyć cienkich, białych kresek na szyi. Otacza ją tłumek młodych, podnieconych Hiszpanów. W jej hiszpańszczyźnie rozpoznaję akcent z New Jersey. Zastanawiam się, co też zostawiła za sobą tam, w kraju.

W barze jest też wiele Niemek i dziewcząt z krajów skandynawskich. Wszystkie wyglądają dla mnie tak samo, może to kwestia postępującego procesu starzenia. Przeważnie mają na sobie czarne sportowe spodnie, porozpinane bawełniane bluzki i wszystkie noszą jakieś wisiorki. Większość ma niebieskie oczy, takie same błyszczące cienie na powiekach i usta pomalowane jasnoróżową pomadką, kontrastującą z opaloną skórą. Wyglądają niewiarygodnie młodo, są podekscytowane, seksowne. Dostrzegam kątem oka, że Dolores bacznie mi się przygląda. Nachylam się ku niej.

– Wolę ciemne, piwne oczy.

Patrzy na ojca, który rozgląda się dokoła, wysuwa szybko koniuszek języka i odwraca się.

Płacę za wino i wychodzimy. Jestem zaskoczony tym, że słońce wciąż tak przypieka. Czuję się odprężony. Señor Ramos jest czerwony jak burak; początkowo kładę to na karb upału. Omiata wszystko szerokim gestem.

– Pamiętam czasy, kiedy Torremolinos było małą wioską rybacką – mówi. – Tego wszystkiego tu nie było. – Odwraca się i patrzy na mnie: jego ciemne oczy są wilgotne. – Torremolinos jest zupełnie jak mały piesek, który nagle wyrósł na wielkiego byka.

Łzy napływają mu do oczu. Musiał wypić sporo wina, kiedy uczyłem Dolores pływać. Jeszcze przy samochodzie mruczy coś do siebie. Patrzę znacząco na Dolores, która w odpowiedzi wzrusza ramionami.

Don Carlos opiera się jedną ręką o przyczepę. Twarz ma teraz bladą; obawiam się, że zacznie wymiotować.

– Ach, señor Rubio, za dużo wina i słońca naraz. Zakręciło mi się w głowie.

Rysuje palcem kółeczko na czole. Proponuję, żeby się przespał w drodze do domu. Kiwa głową, więc rozkładam mu łóżko w przyczepie. Zanim zdążę zawrócić samochodem, pan Ramos zasypia. Dolores siedzi ze mną w kabinie.

Wyjeżdżam na autostradę. Za miastem nie ma wielkiego ruchu, na asfalcie układa się deseń ze światła i cienia. Dolores klęka na siedzeniu i zagląda przez okienko do ojca. Siadając z powrotem, zerka na mnie i uśmiecha się, a potem przysuwa się do mnie.

W drodze przyjemnie sobie gawędzimy. Dolores mówi, że ojciec rzadko się upija i naprawdę musiało mu zaszumieć w głowie od słońca i słodkiej malagi, zwłaszcza że już wcześniej wypił sporo wina. Opowiada mi, jak don Carlos zakładał swoją fryzjernię, jeszcze zanim ożenił się z jej matką. Mógł się przeprowadzić do Torremolinos albo do Fuengiroli, gdzie miałby więcej klientów, ale señora Ramos wolała małe miasteczko. Zdaniem Dolores jej rodzice naprawdę się kochają; miłość nie jest dla nich pustym słowem. Nie chcę znów rozmawiać na ten temat, więc potakuję, nie odzywając się. Wielu znajomych uważało mnie i Gerry za najszczęśliwsze na świecie małżeństwo. Tak było bardzo długo. Nikt postronny nie zna prawdy.

Wchodzę w ostatni zakręt przed miasteczkiem i podjeżdżam jak najbliżej domu Ramosów. Dolores wysiada, otwieram drzwi przyczepy. Dotyka delikatnie głowy ojca, który budzi się powoli, obraca się na łóżku i siada raptownie, zwieszając nogi. Przeciera oczy grzbietami dłoni.

– Jesteśmy już w domu, Dolores? – Przeciąga się i ziewa. – Spałem, jak niemowlę w kołysce. To bardzo wygodne łóżko, señor Rubio.

Pomagam mu wstać. Widzę, że włożył buty na bose nogi. Dolores bierze go za drugą rękę.

– Ładny z ciebie opiekun, tato. Właściwie powinnam powiedzieć mamie...

Señor Ramos kładzie mi rękę na ramieniu.

– Nie musimy się obawiać señora Rubio, Dolores. Niebezpieczni, *caliente*, są bruneci. Tacy jaśni, *rubios*, są *frio*.

Uśmiecha się i patrzy, jak to przyjmuję. Odwzajemniam uśmiech. Jestem pewien, że święcie wierzy w to, co mówi. Może zresztą ma rację. Zastanawiam się, czy nowy partner Gerry jest brunetem. Czasami wydaje mi się, że Gerry chce, żeby ją trzymał krótko, jak to się mówi. Mój Boże, matka wpoiła mi „szacunek dla kobiet" i nie mógłbym tak postępować, nawet gdybym chciał.

Dolores idzie przodem, parę kroków przed nami. Kiedy wchodzimy do domu, señora Ramos nalega, żebym został na kolacji. Tia jest wniebowzięta, że widzi znów Dolores. Idę się z nią pobawić na patio, żeby Dolores mogła pomóc w kuchni. Stół jest już nakryty. Señora Ramos wynosi miednicę z wodą, gąbkę i mydło.

– Proszę, niech się pan umyje, señor Rubio. Dolores będzie teraz zajęta w kuchni.

Wraca do domu, zabierając z sobą Tię.

Idę pod ścianę patio i myję twarz, ręce, ramiona i nogi. Biorę z samochodu buty i grzebień, przebieram się w przyczepie, strzepując piasek, który przylepił mi się w różnych zakamarkach ciała.

Kiedy wracam na patio, woda jest już wylana. Zeskrobuję drobne kamyki z podeszew stóp, wkładam skarpety i buty. Señor Ramos schodzi z góry; wygląda już całkiem nieźle, ma tylko zroszone potem czoło. Zagląda do kuchni, a potem siada.

– Señor Rubio, proszę nie mówić mojej żonie, że spałem. I niech pan nie bierze poważnie tego, co wygadywałem. – Znów rysuje palcem kółko w powietrzu. – Słońce i wino. – Kręci głową.

Do pokoju wchodzą z jedzeniem señora Ramos i Dolores, za nimi drepcze Tia. Na kolację jest znów kurczak. Podczas posiłku rozmawiamy niewiele, señor Ramos wypija tylko kieliszek białego wina.

Czuję się jakby emocjonalnie wyczerpany. Najwięcej mówi señora Ramos, głównie o różnych podłostkach Vincentiego. Ci Hiszpanie gotowi są skakać sobie do gardeł o byle co. Kiedy tylko mogę, popatruję na Dolores. Wygląda tak pięknie z zarumienionymi od słońca policzkami i z Tią na kolanach! Czy naprawdę samo podziwianie urody dziewczyny może dostarczyć takiej satysfakcji, że człowiek niekoniecznie musi od razu pragnąć ją posiąść? Chyba tak, zwłaszcza kiedy ta dziewczyna jest starszą siostrą ślicznego dziecka. W pewnej chwili, kiedy nikt na nią nie patrzy, Dolores zakrywa twarz rękami i potrząsa głową. Czuję się podle. Zaraz po kolacji żegnam się i wychodzę.

Rozdział XIV

Mniej więcej tydzień później Vincenti wykonuje swój pierwszy ruch. Właśnie pracuję nad ramami, w które zamierzam wprawić wielkie tafle szkła, kiedy dostrzegam trzy postacie. To Vincenti z dwoma funkcjonariuszami Guardia Civil, idącymi parę kroków za nim.

Dzień jest upalny, ale Vincenti ma na sobie ciemny garnitur, czarny, płaski kapelusz na głowie, a policjanci są w grubych mundurach. Gdybym nie wiedział, że ich pojawienie oznacza zwykle kłopoty, wybuchnąłbym śmiechem: cała trójka wygląda jak postacie z jakiejś farsy. Jestem w szortach, więc wbijam się pośpiesznie w czyste lewisy i podkoszulek. Wyjmuję zimne piwo, siadam przed kominkiem i czekam.

Kiedy skręcają z drogi w ścieżkę prowadzącą do domu, wstaję i wychodzę im na spotkanie. Ale Vincenti mija mnie, odwraca się do policjantów i pokazuje im ręką, w której trzyma kapelusz, mój kominek. Mówi szybko, ale chwytam z grubsza, w czym rzecz. Oskarża mnie o kradzież kamieni z jego ziemi. Nie wytrzymuję i zwracam się do wyższego funkcjonariusza.

– Señor, to jest prywatna posiadłość, ten człowiek wszedł na jej teren bez mojego pozwolenia.

Wskazuję na Vincentiego melodramatycznym gestem, co odnosi odpowiedni skutek. Vincenti wkłada z powrotem kapelusz.

– Panowie, bardzo was proszę – ciągnę – żebyście jako przedstawiciele hiszpańskiego prawa usunęli stąd tego człowieka.

Wygłaszam to wszystko w najbardziej formalnej i wyszukanej hiszpańszczyźnie, na jaką mnie stać. Jeden z policjantów patrzy mi przez cały czas prosto w oczy. Widzę z bliska strużki potu ściekające mu spod czapki. Także w miejscu, gdzie pasek karabinu trze o kurtkę mundurową, widać mokrą plamę. Spogląda na swojego mniejszego kolegę.

– Señor Vincenti przyszedł z zażaleniem, señor – mówi tamten. – Złożył oficjalną skargę u odnośnych władz.

– Możliwe, ale to nie usprawiedliwia wtargnięcia do mojego domu bez pozwolenia. Pan Vincenti wszedł tu bezprawnie i ja nie będę tego tolerował.

Vincenti słucha tego wszystkiego i w końcu nie wytrzymuje.

– Ten cudzoziemiec mówi, że wtargnąłem na jego teren, a sam kradnie na moim. Pokażę panom, oto kamienie ukradzione na mojej ziemi. Żądam, abyście go, panowie, natychmiast aresztowali.

Podchodzę z wolna do łobuza i pochylam się nad nim.

– Jakie kamienie ma pan na myśli, señor?

Vincenti cofa się o krok i ogląda się na policjantów. Jeden z nich, ten wyższy, zdjął karabin z ramienia.

– Bardzo proszę, panowie! Odrobinę kultury!

– Jakże mam być kulturalny, skoro ta świnia wtrynia mi się do mojego domu i paskudzi mi tu? – Czuję, jak narasta we mnie wściekłość, ale jednocześnie zauważam lekki uśmiech na twarzy wyższego z policjantów, który podnosi rękę, żeby otrzeć pot z czoła. Odwracam się do Vincentiego plecami. – *Pardon*, panowie, ale wzburzony wtargnięciem tej świni do mego domu zaniedbałem obowiązki gospodarza: czy napiją się panowie chłodnego wina, by przepłukać wyschnięte gardła?

– Chętnie, dziękujemy, señor.

Idę do przyczepy i wyjmuję wino z lodówki. Napełniam dwa kieliszki; Vincenti obserwuje mnie uważnie. Nalewam jeszcze wina sobie i pijemy. Jeszcze chwila, a Vincenti się rozpryśnie!

– Señores! Nie przyszliśmy tu po to, żeby pić wino, tylko po to, żeby aresztować tego człowieka. Ukradł nie tylko moje kamienie, ale cały czas kradnie moją wodę.

– Owszem, señores. Kradnę mu całą jego wodę. – Uśmiecham się i rozkładam ramiona, jakbym chciał nimi objąć całą ogromną połać spieczonej, wyschniętej ziemi należącej do Vincentiego. Policjanci słuchają mnie z kamiennymi twarzami. – Za chwilę powie, że wydobywam tę wodę z ziemi, wykorzystując jego wiatr. Bo owszem, czasami trochę tu wieje nad tą suchą, skalistą okolicą.

Wysoki policjant zdejmuje karabin i stawia go pomiędzy stopami. Napełniam ponownie ich kieliszki i mówię do Vincentiego:

– No proszę, señor, co jeszcze panu ukradłem?

Vincenti w dalszym ciągu nie zwraca się do mnie bezpośrednio. Wskazuje na kamienie i mówi do niższego policjanta:

– To moje kamienie. Ukradł mi je. Mam świadków, gotowych zeznać pod przysięgą, że widzieli go, jak kradł te kamienie na mojej ziemi.

Zaczynam rozumieć, o co mu chodzi.

– Ma pan na myśli te kamienie, señor? – Wskazuję na kilka kamieni, które przywiozłem z kopalni.

Rzuca mi szybkie, czujne spojrzenie. Cień podejrzliwości przemyka mu przez twarz, ale szybko znika.

– Tak, oczywiście, chodzi o te kamienie. Ukradł je pan na mojej ziemi, señor.

Zwracam się ponownie do policjantów. Stoją obok siebie z karabinami opartymi kolbami o ziemię i z kieliszkami wina w dłoniach. Zapraszam ich gestem, żeby weszli dalej.

– Panowie, może zechcecie rzucić na to okiem. – Ścieram nieco piachu z ciemnych kamieni o metalicznym połysku; policjanci nachylają się nade mną. – Jak bez trudu zauważycie, są to kamienie bardzo charakterystyczne. Jeśli, jak utrzymuje señor Vincenti, wziąłem je z jego terenu, to jest rzeczą oczywistą, że nie mogłem ich zabrać wszystkich i powinno ich tam jeszcze trochę pozostać.

Policjanci potakują. Vincenti podszedł i przygląda się kamieniom. Wyciera twarz chusteczką. Patrząc mu prosto w oczy, mówię:

– Twierdzę, że nie wziąłem kamieni z terenów należących do pana Vincentiego, ale jeśli znajdziecie tam, panowie, takie kamienie, zapłacę mu za nie, oddam mu je albo zrobię to, czego będzie wymagać zadośćuczynienie wymogom prawa.

Stoję wyprostowany, ze skrzyżowanymi ramionami. Spoglądam to na policjantów, to na Vincentiego. Teraz ten ostatni utwierdza się w podejrzeniu, że szykuję jakąś niespodziankę.

– Señores, to nie jest kwestia rodzaju kamieni... Mam świadków, którzy widzieli, jak ten cudzoziemiec kradł kamienie z mojej ziemi.

Policjanci gapią się na kamienie i wymieniają przyciszonym głosem uwagi. Trudno na razie przewidzieć, jaki obrót przybiorą sprawy. Wreszcie mniejszy oświadcza:

– Señor Vincenti utrzymuje, że pan ukradł te kamienie. Pan twierdzi, że nie ukradł. Dowiódł pan, że nie są to kamienie typowe dla tej okolicy. Postanowiliśmy, że jeśli señor Vincenti znajdzie podobne kamienie w pobliżu miejsca, o którym mowa, to uznamy jego oskarżenie za zasadne.

Czekamy na dalszy ciąg, ale to już wszystko. Vincenti znów wkłada kapelusz.

– Dobrze, w ciągu dwóch dni dostarczę podobne kamienie na posterunek i będą to kamienie z mojego terenu.

Niższy policjant kręci z wolna głową.

– Nie, señor. Pójdziemy zobaczyć je teraz. – Zgina ramię i spod rękawa wysuwa się zegarek z tarczą wielką jak tarcza kieszonkowej cebuli. – Poszukamy teraz tych kamieni. Mamy na to pół godziny. Chodźmy.

Odstawia kieliszek na stół, wyższy robi to samo. Zarzucają karabiny na ramię. Dochodzę do wniosku, że będzie najlepiej, jeśli zostanę w domu.

Wychodzą sznureczkiem, z Vincentim na przedzie. Znajduję ocienione miejsce, z którego można obserwować całą akcję, i jest to naprawdę niezłe przedstawienie. Vincenti pochyla się co chwilę, żeby podnieść z ziemi jakiś kamień, po czym odrzuca go zniechęcony. Policjanci kroczą za nim. Idą tak zakosami, oddalając się na jakieś sto jardów od mojej parceli. Musi im być piekielnie gorąco; widzę, jak niższy dwukrotnie spogląda na zegarek. W końcu po upływie półgodziny zawracają w stronę mojego domu. Wstaję i czekam na nich na progu.

– Nic nie znaleźliśmy, señor – mówi niższy. – Zaszło nieporozumienie. Bardzo przepraszamy za zakłócenie spokoju. Uśmiecha się do mnie. Odwzajemniam uśmiech. Wyższy też patrzy na mnie życzliwie. Chciałbym im się jakoś odwdzięczyć, ale boję się ryzykować. Zastanawiam się, czy nie będą mieli kłopotów. Policjanci salutują i odchodzą. Vincenti poszedł sobie już wcześniej, nie czekając na nich; widzę, jak znika za zakrętem.

Rozdział XV

Przez następne trzy miesiące ciężko pracuję. Jeżdżę do miasteczka tylko po to, by kupić coś do jedzenia. Dolores przychodzi w poniedziałki, ale jest ostrożna i pełna rezerwy. Tak jest najlepiej; wiemy to oboje. Swoistym łącznikiem między nami jest jednak Tia. Zawsze znajduję czas, żeby się z nią pobawić. Zaczyna trochę rozumieć angielski, słuchając piosenek, które nucę przy pracy. Czasami próbuje nawet śpiewać ze mną. Muszę wtedy zwalniać, żeby mogła nadążyć. Dwukrotnie pojawił się señor Ramos i piliśmy wino. Wciąż mnie zaprasza, żebym ich odwiedził, ale wykręcam się, tłumacząc, że muszę wykończyć dom, zanim nadejdą deszcze.

We wrześniu zaczynam prace wykończeniowe i malowanie. Wprawiam wszystkie szyby, nie tłukąc przy tym ani jednej. Każda ma wymiary półtora metra na dwa, są ciężkie jak cholera. Salon wygląda wspaniale, jest przestronny i czysty. Kupuję w Maladze armaturę i rury do łazienki: natrysk, umywalkę, muszlę i gazowy bojler do podgrzewania wody. Podłączam go do butli z butanem.

Dwa tygodnie zabiera mi wykopanie szamba, obmurowanie go cegłami i połączenie rurami z domem, kolejne trzy pochłania zakładanie instalacji elektrycznej. Problem w tym, że potrzebuję prądnicy i nie mogę znaleźć w Maladze nic odpowiedniego. Planuję, że wybiorę się do Gibraltaru.

Nazajutrz wczesnym rankiem zatrzymuję się przed domem Ramosów, żeby zawiadomić ich, że nie będzie mnie kilka dni. Señor Ramos martwi się o Vincentiego.

– Może zrobić jakieś świństwo, kiedy pana nie będzie.

Kręci głową. Hiszpanie mają coś w rodzaju zakodowanej „kulturowej" paranoi: kraty w oknach i tak dalej. Don Carlos nalega:

– Najlepiej by było, żebym tam spał przez te kilka nocy i pilnował domu, señor.

Nie mam nic przeciwko temu. Mówię mu, że może wykorzystać Jozuego jako wierzchowca. Ustalamy wszystko i wreszcie jestem gotów do wyjazdu. Nie chcą, żeby im cokolwiek kupować. Odwracam się w progu i widzę, jak Dolores, która stoi za plecami rodziców, dotyka wargami koniuszków palców i posyła mi całusa na pożegnanie. Ta dziewczyna jest czasami naprawdę niemożliwa. Mała Tia robi to samo.

Podróż w stronę wybrzeża upływa mi przy tym upale przyjemnie. Mijam wioski, gaje drzew korkowych i jadę wzdłuż liczącego sto dwadzieścia pięć kilometrów wybrzeża z długimi odcinkami pięknych plaż. W La Linea skręcam i odtąd jadę drogą na wysokim nasypie. To moja pierwsza wyprawa do Gibraltaru; hiszpańscy funkcjonariusze straży granicznej przetrząsają gruntownie przyczepę. Gibraltar jest czymś w rodzaju baśniowej, nierzeczywistej krainy.

Późnym popołudniem znajduję prądnicę, jakiej potrzebuję, i ładuję ją do samochodu. Kładę ją na podłodze pod stołem. W tym samym sklepie kupuję kable, gniazda i wyłączniki. Po lunchu wstępuję do supermarketu i znajduję tam angielską herbatę i kawę. Kupuję po paczce dla państwa Ramos. Przy głównej ulicy natrafiam na sklep z pięknymi, nowoczesnymi meblami duńskimi – ceny nie są specjalnie wysokie.

Znajduję hotel na zboczu wzgórza. Zjadam tam prawdziwy angielski obiad: krwisty befsztyk na grzance, do tego ciepłe, cienkie piwo. Po obiedzie kupuję „Time". Większość sklepów jest zamknięta. Zostawiam swojego volkswagena w warsztacie, żeby zrobili przegląd, wracam do hotelu i rozbieram się. To moje pierwsze prawdziwe łóżko od ośmiu miesięcy. Wyciągam się w białej, wyprasowanej pościeli, układam sobie wysoko poduszki i czytam. Wszystko, o czym pisze „Time", wydaje mi się tak strasznie ważne! Czuję się jak ktoś wyrzucony poza nawias, a w każdym razie widzę, że jestem zapóźniony, jeśli chodzi o informacje. Kończę lekturę na rubryce „Ludzie i miejsca" i gaszę światło.

Rano, po obfitym angielskim śniadaniu, idę na zakupy. Kupuję dwie lampy na biurko, wysoką lampę podłogową, małą lodówkę i kuchenkę. Ustawiam to wszystko w przyczepie, tak żeby wyglądało na jej zwykłe wyposażenie, i zaciągam zasłony. Kupuję też pled dla pani Ramos, wrzoścową fajkę dla jej męża, błękitny kaszmirowy sweter dla Dolores i wielkiego misia dla Tii. Nigdy nie widziałem, żeby miała jakieś zabawki, jeśli nie liczyć moich klocków.

Płacę rachunek w hotelu i ruszam w drogę powrotną. Na granicy sprawdzają tylko mój paszport. Pruję pełnym gazem w stronę autostrady; czuję się wolny, wystawiam twarz na wiatr. Jest już późne popołudnie, kiedy pokonuję ostatnie zbocze i wjeżdżam do miasteczka. Przyklejone do ścian domów dzieciaki machają do mnie przyjaźnie. Odpowiadam na te pozdrowienia. W końcu parkuję, wyciągam prezenty, zamykam przyczepę i idę do domu Ramosów.

Otwiera mi Dolores z Tią uczepioną spódnicy; uśmiechamy się do siebie promiennie. Tia domaga się, żeby podnieść ją wysoko, wysoko, aż pod sufit. Wychodzę na patio, kładę prezenty na stole i podnoszę ją, a potem odwracam na moment do góry nogami. Tia aż piszczy z radości. Z kuchni wychodzi señora Ramos, staje na palcach, łapie mnie za uszy, przyciąga moją głowę i całuje mnie w czoło.

– Cieszę się, że wrócił pan bezpiecznie do domu, señor Rubio.

Patrzy na stół z prezentami.

Wręczam jej pudło z pledem, a Dolores mniejsze pudełko. Wymieniają spojrzenia i zaczynają rozwiązywać sznurki. Señora Ramos rozwija pled i przykłada róg do policzka.

– Dziękuję, señor Rubio. Jest miękki jak jagnięce runo. Ale to strasznie drogi prezent.

Dolores delikatnie podnosi sweter za ramiona; bibułka, w którą był opakowany, opada z wolna na ziemię. Dziewczyna patrzy na mnie, kręci głową, składa sweter i wkłada go z powrotem do pudełka. Señora Ramos chwyta je pośpiesznie.

– Jaki śliczny błękit!

Wyciąga sweter i przykłada córce do ramion, żeby sprawdzić, czy jej do twarzy. Dolores patrzy na matkę, potem na mnie.

– Pasuje idealnie, Dolores, widzisz?

Rzuca mi szybkie spojrzenie, potem patrzy na córkę. Podnosi sweter do światła.

– Sweter jest piękny, señor Rubio. Dziękuję, ale nie mogę go przyjąć – mówi cicho Dolores.

Patrzę na panią Ramos, która teraz przykłada sweter do swojej czarnej sukni.

– Señor Rubio nie wróci przecież do Gibraltaru, żeby go oddać, więc zatrzymam sweter dla siebie. Gdyby Antonio coś mówił, sweter jest mój.

Podchodzi do lustra przy drzwiach. Sweter jest na nią wyraźnie za wąski w talii. Pani Ramos odwraca się do mnie i mruga porozumiewawczo.

– Oczywiście, jeśli Dolores zechce czasami ponosić ten piękny sweter i poprosi mnie grzecznie, pozwolę jej go wziąć.

Aby rozładować napięcie, daję misia Tii. Jest prawie tak duży jak ona. Dziewczynka chwyta go oburącz, przytula i czule gładzi futro.

– To tradycyjna amerykańska zabawka, która pomaga dzieciom zasnąć – wyjaśniam.

Tia jest całkowicie pochłonięta przytulaniem misia. Dolores obserwuje ją z czułością.

– Dziękuję, señor Rubio, to był świetny pomysł.

Odwraca się i idzie do kuchni. Señora Ramos chowa z powrotem sweter do pudełka i kładzie mi rękę na ramieniu.

– Już ja ją dobrze znam, señor Rubio. Jest bardzo zadowolona z tego pięknego swetra, ale to jeszcze taka młoda dziewczyna...

Daję pani Ramos herbatę, kawę i paczuszkę z fajką dla jej męża.

– Jest pan dla nas bardzo miły, señor.

– Przecież jesteście moją hiszpańską rodziną.

Próbuje odczytać napisy na pudełkach, ale są po angielsku.

– Świat jest wielki, señor; czasami człowiek o tym zapomina. – Wpatruje się w pudełka. – Ale herbatę i kawę parzy się pewnie wszędzie tak samo, prawda, señor Rubio?

Wkłada prezent do kredensu. – Carlos opowiadał dziś cały dzień o pańskim domu. Mówi, że jest piękny, jak zamek. Zawiązuje fartuszek. Porusza się tak pewnie i spokojnie, jakby wykonywała czynności zapisane precyzyjnie w jakimś scenariuszu. Samo jej obserwowanie odpręża. Widzę teraz, po kim Dolores odziedziczyła swój wdzięk.

– Musi pani też przyjść i zobaczyć, señora. A może przyszliby państwo na kolację w tę sobotę? Obiecuję, że tym razem będziemy jedli już wewnątrz, w domu. Żadnego „jaskiniowego" kucharzenia.

Pani Ramos milczy przez chwilę, potem mówi:

– Przyjdziemy z przyjemnością, dziękuję, señor Rubio. Czy chciałby pan, żeby Dolores panu pomogła?

– Byłoby wspaniale, señora Ramos. A czy mógłbym znów pożyczyć nakrycie i obrus? Może Dolores przywiozłaby wszystko na moim osiołku?

Czekam. Dolores słyszy nas pewnie z kuchni, ale nie wychodzi stamtąd. Po dłuższej chwili żegnam się i wychodzę. Mam nadzieję, że niczego jej nie narzucam.

Przez trzy dni pracuję w wielkim tempie. Dwa dni zajmuje mi zainstalowanie agregatu i przeprowadzenie przewodów do domu. W końcu mam światło elektryczne! Wiatr wieje z jednakową siłą, nie ma więc wahań napięcia i lampy nie przygasają. Następnego dnia kończę zakładanie instalacji we wnętrzu. Nie jest to trudne: ciągnę przewody wzdłuż listwy podłogowej i przybijam. Stosowane w Europie gniazda są okrągłe, przykręca się je do ściany. Zakładam po dwa w każdej ze starych izb i cztery w nowym pomieszczeniu.

W sobotę po południu pracuje już lodówka, zawiesiłem też bojler gazowy. Wygląda naprawdę supernowocześnie w tym starym domu o grubych murach. Biorę gorący prysznic i golę się sam, po raz pierwszy od wielu miesięcy. Potem ubieram się i idę do miasteczka na zakupy.

Dochodzę do wniosku, że najprościej będzie wykorzystać nowy piekarnik, znajduję więc ładny, ponadkilogramowy kawałek mięsa. Kupuję też masywny rondel, w którym je przyrządzę. Potem kupuję ziemniaki, marchewkę, sałatę, piwo i wino.

Wróciwszy do domu, obsmażam mięso, obieram ziemniaki, skrobię marchew i wszystko razem wkładam do rondla. Pełen nadziei włączam piec. Wino, piwo i sałata wędrują do lodówki. Nalewam wody do foremki do lodu. Boże, co za komfort! Zsuwam stoły w dużym pokoju i obstawiam je lampami. Nie jest właściwie zimno, ale rozpalam ogień na kominku. Sprawdzam, co z mięsem, i podlewam je sosem. W końcu siadam, by oczekiwać gości.

Ciemność spływa na ziemię i zasnuwa wszystko dokoła jak wlany do szklanki wody atrament. W szybach odbijają się lampy; coraz trudniej wypatrzyć, co dzieje się na zewnątrz. Powinienem był zamontować szyby nieco ukośnie, no ale nie sposób pamiętać o wszystkim. Gerry zawsze uważała mnie za perfekcjonistę; istotnie, nie widzę nic złego w dążeniu do doskonałości.

Wstaję i obchodzę pokój dookoła, sprawdzając po kolei, co widać przez poszczególne okna. Widzę, że ścieżką nadchodzi Dolores, prowadząc osła. Przywiązuje go do jednego z moich kozłów do piłowania drzewa. Wychodzę jej na spotkanie. Ma na sobie nowy sweter, niebieską sukienkę i białą przepaskę na włosach. Wygląda prześlicznie na tle ciemniejącego nieba.

– Señor Rubio! Przez całą drogę widziałam pański oświetlony dom! Wygląda pięknie! – Mówi wysokim, zdyszanym głosem. Nigdy nie słyszałem u niej takiego tonu. – Dom wygląda jak wielka klatka na szczycie wzgórza, a pan chodzi po niej tam i z powrotem jak uwięziony lew! – Wchodzi do pokoju. – Tu jest naprawdę pięknie, señor Rubio. Zupełnie jak w tych domach, co je pokazują w filmach.

Wiruje po pokoju podekscytowana. Przyglądam się jej, stojąc w drzwiach. Warto było zbudować ten dom dla samego widoku tej dziewczyny, kręcącej na czubkach palców piruety na środku pokoju. Cała budowla jest jak dekoracja postawiona dla tej jednej, jedynej sceny – dekoracja, którą po wszystkim można rozebrać.

– Dziękuję ci, Dolores, że włożyłaś ten sweter. Wyglądasz pięknie. Przepraszam, jeśli sprawiłem ci tym prezentem przykrość. Nie pomyślałem, że odbierzesz to w ten sposób.

Dolores zatrzymuje się i spuszcza wzrok.

– Przykro mi, że tak to wyszło, señor Rubio. – Odwraca się i podchodzi do jednego z okien. Patrzy w mrok. – Przestraszyłam się, kiedy go dotknęłam. To było takie uczucie, jak wtedy, kiedy pan mnie dotknął. – Rozwiązuje przepaskę na włosach. – Teraz pan widzi, señor Rubio, jaka jestem głupia.

Kładzie przepaskę na stole. Podchodzę do niej.

– A teraz, głuptasie, zamknij oczy i podaj mi rękę: mam dla ciebie niespodziankę.

Wyciągam do niej rękę, Dolores cofa się, wystraszona. Wybuchamy oboje śmiechem.

– No dobrze, teraz chodź za mną.

Idę do kuchni; Dolores zatrzymuje się w drzwiach.

Otwieram lodówkę i wyjmuję sałatę, obserwując dziewczynę kątem oka. Dolores wchodzi powoli do kuchni.

– Ale przecież tu nie ma prądu, señor Rubio. Jak pan to zrobił?

Rozgląda się na wszystkie strony; właściwie dopiero teraz zauważa wszystkie światła. Zamykam lodówkę i otwieram drzwiczki piekarnika. Wyciągam pieczeń: wygląda i pachnie wspaniale. Dolores pochyla się, stojąc tuż obok mnie i ocierając się rękawem swetra o moje ramię. Wsuwam pieczeń z powrotem, zamykam piekarnik i prostuję się. Dolores cofa się raptownie.

– Skąd się bierze ten prąd, señor Rubio? Nic z tego nie rozumiem!

– Chodź, pokażę ci, skąd biorę elektryczność.

Wychodzę na zewnątrz. Dolores idzie za mną. Przy studni mruczy w ciemnościach agregat. Czekam, aż Dolores podejdzie bliżej, i wskazuję palcem na wielkie, obracające się koło.

– Widzisz, elektryczność bierze się z wiatru, który obraca to koło. To urządzenie – pokazuję na prądnicę – wytwarza prąd i posyła przewodami do domu.

Nie potrafię jej tego lepiej wytłumaczyć. Dolores mierzy wzrokiem agregat. Sprawdzam, czy się nie przegrzał, ale jest tylko lekko ciepły. Dolores wyciąga rękę, dotyka generatora i natychmiast ją cofa.

– Niech pan mi więcej nie tłumaczy, señor Rubio.

Widzę w ciemnościach jej twarz. Sweter wygląda, jakby był biały. Chcę jej dotknąć, położyć dłonie na jej silnych ramionach, poczuć ich gładkość i jędrność pod miękką wełną. Odwraca wzrok i idzie w stronę domu, a ja za nią. Jozue skubie trawę przy ścieżce. Rozpakowujemy kosze i wnosimy wiktuały do kuchni.

– Pan tu zostanie! – Wskazuje na jedno z krzeseł przy kominku. – Nie mogę pracować, kiedy ktoś kręci się cały czas koło mnie!

Wychodzę z kuchni i siadam posłusznie na krześle. Patrzę, jak Dolores krząta się, biegając tam i z powrotem i nakrywając do stołu. Brakuje mi tylko „Timesa" i fajki do kompletu. W gruncie rzeczy jestem bardzo „udomowionym" zwierzęciem.

Kiedy przychodzą państwo Ramos, wszystko jest gotowe. Świetnie się bawię, patrząc, jak są zafascynowani zmianami. Pani Ramos siedem razy otwiera i zamyka lodówkę. Mam wrażenie, że najbardziej podoba jej się światło w środku. Nawet kostki lodu są przedmiotem jej podziwu. Zagląda przez szklane drzwiczki piekarnika do mięsa, a potem zerka mi przez ramię, kiedy podlewam je sosem. Pieczeń jest prawie gotowa, ziemniaki i marchewka miękkie. Tia plącze się pod nogami; niewiele brakuje, żeby się poparzyła.

Dolores zaprasza wszystkich do jadalni. Wciela się w rolę gospodyni. Wyjmuję z lodówki dwie butelki wina. Napełniam kieliszki, Dolores podaje do stołu. Siadamy wszyscy, jemy, rozmawiamy. Miękkie warzywa bardzo smakują Tii. Rozmawiamy przede wszystkim o jedzeniu i o domu.

Po kolacji Tia zasypia na pufie przed kominkiem, a my wychodzimy obejrzeć agregat. Zaczynam objaśniać zasadę działania, ale Dolores przerywa mi i zatyka uszy.

– Nie słuchajcie go. To czarownik: próbuje nas wszystkich zakląć.

Zapada cisza. Pani Ramos patrzy to na Dolores, to na mnie. Don Carlos parska śmiechem.

– Nie wiem, czy Rubio jest czarownikiem czy nie, to sprawa między nim a Bogiem, ale zaczekajcie tylko, aż usłyszy o tym Vincenti... Teraz z kolei elektryczność... Już po tej historii z kamieniami musi się ukrywać.

Śmieje się jeszcze, kiedy wchodzimy do domu. Dolores zostaje z tyłu; jestem zaskoczony, gdy mnie obdarza w ciemnościach długim, czułym spojrzeniem.

W domu señora Ramos i Dolores biorą się do zmywania po kolacji. Chcę im pomóc, bo naprawdę to lubię, ale one czują się urażone, bo wygląda to tak, jakbym wątpił w ich umiejętności w tym zakresie. Wciąż jeszcze nie mam porządnego zlewozmywaka. Jest wprawdzie bieżąca ciepła woda, ale pomyje muszę wylewać na podwórze.

Wracam do saloniku. Siedzimy z panem Ramosem przed kominkiem i wpatrujemy się w płomienie. Don Carlos pali nową fajkę i wydmuchuje wielkie kłęby niebieskawego dymu.

– Musi pan kupić jakieś porządne zamki do drzwi i okien, señor Rubio. Niebezpiecznie tak zostawiać wszystko otwarte. Nie wie pan, co knuje Vincenti.

Kiedy ponownie sięga po fajkę, daję mu swoją zapalniczkę.

– Proszę ją zatrzymać, señor Ramos. Ja rzuciłem palenie, więc nie mam z niej żadnego pożytku.

– Ależ señor, nie mogę jej przyjąć. To pańska zapalniczka. Są na niej pańskie inicjały...

Pokazuję mu, jak się nią posługiwać, i obiecuję, że przy następnym wyjeździe do Gibraltaru kupię mu zapasowe naboje. Wciąż się wzdraga przed przyjęciem prezentu, ale nie ustępuję. W końcu idzie do kuchni pochwalić się zapalniczką żonie i córce. Jestem zadowolony, że mu ją dałem; Gerry byłoby pewnie teraz wszystko jedno, a widok tego drobiazgu przywoływał tylko bolesne wspomnienia.

Wszyscy troje wracają z kuchni. Informuję ich, że znów wybieram się do Gibraltaru.

– Tym razem pojadę o świcie i wrócę tego samego dnia, więc nikt nie będzie musiał czuwać i pilnować domu.

Señor Ramos znów zapala fajkę.

– Nie, señor – mówi, wydmuchując dym. – Ktoś powinien wszystkiego pilnować. Nie wie pan, na co stać Vincentiego. – Przypatruje się swojej fajce. – Ja muszę być za dnia w zakładzie, ale może tu przyjść Dolores. Powinien pan pojechać w poniedziałek, señor Rubio, a wtedy Dolores będzie mogła przyjść i wykonać swoje zwykłe prace pod pańską nieobecność.

Patrzę na Dolores, która potakuje na znak, że się zgadza. Pojadę zatem w poniedziałek, a ona przyjdzie o siódmej, żeby mnie jeszcze zastać w domu.

Jest dobrze po północy, kiedy w końcu biorą śpiącą Tię i żegnają się. Odwożę ich do miasteczka. W drodze powrotnej widzę z daleka swój oświetlony dom. Wprawdzie Dolores powiedziała, że wygląda jak klatka, ale mnie bardziej kojarzy się z wielkim lampionem. Stary budynek jest niewidoczny, a cała konstrukcja nośna jest pięknie oświetlona w efektownej kontrze. Panująca cisza wyzwala we mnie poczucie samotności. Z ulgą kładę się spać.

Rozdział XVI

W niedzielę robię porządki i wyjmuję wszystko z przyczepy, żeby zrobić miejsce na to, co kupię jutro w Gibraltarze. Kładę pod oknem w dużym pokoju skórzane poduszki, na których można wygodnie spać. Na kolację zjadam to, co zostało z wczorajszej pieczeni, potem wyciągam się wygodnie na poduszkach i patrzę na wzgórza. Po raz pierwszy odczuwam potrzebę lektury. Takie długotrwałe odosobnienie ożywia stare przyzwyczajenia. Moje dawne rozrywki nabierają dla mnie znów atrakcyjności: jeszcze trochę, a kupię sobie aparaturę stereo i całkowicie odgrodzę się od otoczenia.

Kiedy budzę się nazajutrz, jest już widno. Biorę gorący prysznic i ubieram się w kłębach pary. Po wypiciu filiżanki kawy idę do samochodu.

Wskakuję do kabiny i zjeżdżam po stoku, nie włączając silnika. Na skraju drogi wrzucam dwójkę. Wciskam sprzęgło i kilka razy dociskam gaz do dechy, żeby rozgrzać silnik. W krzakach uwijają się roje zięb. Słychać tylko ich świergot, potem chmara ptaków wzbija się w powietrze i zatoczywszy kilka kręgów, z powrotem znika w zaroślach. Widzę, że ktoś się zbliża drogą, i rozpoznaję Dolores. Podchodzi do samochodu i kładzie ręce na krawędzi okna.

– Wcześnie pan wstał, señor Rubio. Myślałam, że będę mogła pana obudzić, tak jak budzę co rano ojca.

Odgarnia kosmyk włosów z czoła i uśmiecha się.

– Gdybym wiedział, zostałbym w łóżku.

Zabiera rękę i odwraca wzrok.

– Wrócę prawdopodobnie na kolację, Dolores, ale jeśli nie będzie mnie przed zmierzchem, idź do domu. Jeśli ojciec zechce, będzie mógł przyjść i cię zmienić.

Kiwa głową.

111

– W lodówce jest jedzenie i spory kawałek pieczeni.
Znów kiwa głową i patrzy mi w oczy.
– Musi pan już jechać, señor Rubio, bo nigdy pan nie wróci. – Odchodzi od samochodu. Po paru krokach odwraca się jeszcze raz. – Proszę pozdrowić wszystkie angielskie ślicznotki.
Wychylam się z okna, ale Dolores już się nie ogląda. Dodaję gazu i odjeżdżam.
Kiedy docieram do Gibraltaru, zegar na wieży wskazuje dziewiątą czterdzieści pięć. Przebyłem drogę w rekordowym tempie, choć musiałem się zatrzymać, żeby uzupełnić zapas paliwa. Wiem dokładnie, czego chcę, więc idę do tego samego sklepu i kupuję zestaw lekkich nowoczesnych duńskich mebli: tapczan, dwa krzesła, komplet do jadalni i kredens. Ustawiam tapczan i krzesła w przyczepie tak, jakbym ją meblował. Resztę, nie rozpakowaną, umieszczam na dachu.
Znajduję sklep z artykułami żelaznymi i kupuję zamki do drzwi i okien. Wkładam je do skrzynki z narzędziami. Kupuję też parę nabojów do zapalniczki. Po śniadaniu kupuję trzy włochacze utkane przez górali z gór Atlas. Mają owalny kształt, po trzy metry długości i dwa szerokości i naturalne kolory owczej wełny, od szarawobiałego do ciemnego brązu. Umieszczam je też na bagażniku i przykrywam wszystko brezentową płachtą. Zamierzam to przemycić przez komorę celną. Jeśli mnie przyłapią, trudno, zapłacę.
Już prawie kończę, kiedy dostrzegam w witrynie sklepu jubilerskiego pierścionek, prosty, gładki srebrny pierścionek z dziwnym, zielonkawofioletowym kamieniem. Jeszcze nigdy nie widziałem czegoś podobnego. Hindus, który prowadzi sklep, zdejmuje pierścionek z wystawy. Pokazuje mi, jak kamień jarzy się rubinowo w sztucznym świetle. Kamień nazywa się aleksandryt, a pierścionek kosztuje pięć funtów. Kupuję go i prawie natychmiast, po przejściu paru kroków, uświadamiam sobie, że to naprawdę głupia decyzja. Jestem bliski oddania pierścionka, ale nienawidzę takich sytuacji. Wsuwam go do bocznej kieszeni marynarki. Jeśli nie chciała przyjąć swetra, myślę, tym bardziej nie zechce przyjąć

pierścionka. A zresztą, diabli z pierścionkiem: sama przyjemność kupowania go dla niej warta była tych pięciu funtów, nawet gdyby go miała nigdy nie zobaczyć.

Odprawa celna przebiega gładko. Celnik przygląda się plandece i puka w nią nawet parę razy, ale w końcu oddaje mi paszport i macha ręką, żebym jechał.

Dwadzieścia kilometrów za La Lineą wskaźnik napięcia zaczyna pulsować. Dojeżdżam prawie do Guadiaro, kiedy zapala się czerwona dioda; jednocześnie czuję opary kwasu siarkowego. Zjeżdżam na pobocze i wyłączam silnik. Akumulator jest rozgrzany do czerwoności. Wyciągam go i zdejmuję nakrętki. Akumulator jest suchy jak pieprz, a nie mam kropli wody destylowanej. Nalewam trochę zwykłej ze zbiornika w przyczepie, ale nie mogę nawet uruchomić silnika. Droga biegnie przez równinę, więc kiedy w końcu udaje mi się, machając, zatrzymać jakiś samochód, proszę kierowcę, żeby mnie popchnął, ale on proponuje, że zawiezie mnie do Guadiaro. Zamykam samochód i wsiadam do seata.

W Guadiaro znajduję miejscowego mechanika, grubego, przysadzistego faceta, którego wszyscy nazywają Michelin; pewnie to jakaś aluzja do marki francuskich opon. Mówi, że pojedzie ze mną taksówką i rzuci okiem na samochód. Jedziemy wielkim, czarnym buickiem rocznik 1957. Kierowca wiózł akurat przed chwilą gości weselnych i jest odstawiony jak stróż w Boże Ciało. Dotarłszy na miejsce, próbujemy popchnąć samochód, ale bez powodzenia. Jest jakiś poważniejszy defekt, trzeba go zaholować do warsztatu i sprawdzić. Ciągniemy go na mojej lince holowniczej do miasta. Jest już wpół do siódmej, proszę Michelina, żeby zdobył jakiś akumulator. Sprawdzam samochód, podłączając dużego dwudziestowoltowego olbrzyma z ciężarówki. Okazuje się, że jest to sprawa rozrusznika. Wyciągam go: wysiadł kompletnie. Wraca zasapany Michelin; w całym miasteczku nie ma akumulatora do volkswagena, musimy jechać do Estepony. Zresztą i tak muszę kupić część do rozrusznika, więc znów wsiadamy do taksówki.

W Esteponie sklep elektryczny jest zamknięty i nikt nie wie, kiedy go otworzą. Michelin przypomina sobie jeszcze

113

jedno miejsce, gdzie można dostać akumulator. Jedziemy na skraj miasta; stacja obsługi w amerykańskim stylu wygląda nawet nieźle, ale to tylko fasada – w środku pełno metalowych półek i szafek – i ani jednej części zapasowej. Nawet toaleta zamieniła się w zdewastowany wychodek. Wychodząc, spostrzegam sześciowoltowy akumulator leżący w kącie warsztatu. Jest używany, ale iskrzy, kiedy go sprawdzam. Nikt nie wie, skąd się tam wziął. Wykładam pięćset peset na stół, nikt się nie rusza. Niosę akumulator do taksówki i odjeżdżamy. Chryste, taka patologiczna apatia doprowadza mnie do białej gorączki.

Do Guadiaro docieramy o ósmej trzydzieści; jest już prawie ciemno. Instaluję akumulator. Trochę pchania i silnik zapala. Jak długo jadę, wszystko jest okej. W Maladze kupię nowy rozrusznik.

Płacę Michelinowi i taksówkarzowi. Liczą sobie tak tanio, że podwajam sumę, jakiej żądają, i ruszam w drogę. Jest po dziewiątej.

Dojechawszy w okolice miasteczka, uspokajam się na tyle, że mogę podziwiać księżyc w pełni, zawieszony nisko nad wzgórzami. Droga wije się jak srebrna wstęga, kiedy jadę w stronę gór. Cały czas cisnę gaz do dechy, żeby samochód nie stanął, i jakoś udaje mi się przemknąć przez uśpione miasteczko. Nie oświetlone domy bieleją w księżycowej poświacie.

Na miejscu ustawiam samochód tak, żebym jutro mógł zjechać po zboczu na luzie. Gaszę silnik, przeciągam się i siedzę przez chwilę, wsłuchując się w noc. Czuję, jak ustępuje napięcie. Jak wspaniale mieć swoje miejsce na ziemi, zwane domem.

W środku jest ciemno; zastanawiam się, czy pan Ramos śpi u mnie. Minęła już północ, więc postanawiam, że rozładuję samochód rano.

Wchodzę i widzę, że ktoś śpi na poduszkach pod oknem. Nie jest to jednak pan Ramos, tylko Dolores. Podchodzę bliżej. Widzę, że zdjęła koce z mojego łóżka; jest nimi przykryta do pasa. Śpi w czymś, co wygląda na halkę i połyskuje matowo w sączącym się przez okno srebrzystym świetle księżyca. Rozpuszczone włosy układają się na poduszce jak czarna aureola. Stoję nieruchomo, wsłuchując się w głęboki, spokojny oddech Dolores. Nie wiem, co robić. Nie chcę jej budzić, nie chcę też odejść. Mógłbym spać na dworze albo w przyczepie, ale ktoś mógł mnie widzieć, jak przejeżdżałem przez miasto i jednocześnie wiedzieć, że Dolores jest wciąż u mnie. Z wielkimi oporami postanawiam ją obudzić i odwieźć do domu. Cholera, ile to zachowywanie pozorów wymaga zachodu!

Klękam u jej boku. Nie chcę obudzić jej zbyt gwałtownie, żeby jej nie przestraszyć. Jedno ramię Dolores spoczywa na poduszce tuż przy głowie, drugie położyła na brzuchu, palce zaciska na brzegu koca. Podciągam koc wyżej. To może ją obudzić, ale jeśli teraz ją przykryję, nie będzie tak zakłopotana, kiedy otworzy oczy. Ale Dolores się nie budzi. Pod jej oczami księżyc maluje głębokie cienie, usta ma rozchylone, oddycha równo, głęboko. Chyba nigdy dotąd nie przyglądałem się śpiącej kobiecie z tak bliska. Między zębami lśni jej srebrzyście cienka niteczka śliny, nozdrza poruszają się miarowo. Trudno uwierzyć, że to nieskazitelnie piękne stworzenie ulegnie kiedyś procesowi starzenia i umrze. Całuję ją delikatnie w czoło, ale ona się nie porusza. Jej skóra i włosy pachną oliwkami. Ogarnia mnie dziwne uczucie, liczy się tylko to, co jest teraz, w tej chwili, nie pamiętam niczego z przeszłości, niczego nie oczekuję.

Przytulam twarz do jej twarzy, czuję miękką gładkość jej policzka. Rozchylam wargi i lekko dotykam nimi jej ust. Nic się nie stanie, przecież nie poczuje i nie obudzi się. Odwraca powoli głowę. Przytulam policzek do jej twarzy i lekko gładzę włosy nad czołem. Teraz jestem pewien, że to ją obudzi, ale nie, śpi dalej. Odwraca tylko powolnym ruchem głowę, a ja unoszę lekko swoją, tak że nasze usta znów się spotykają. Jej wargi są pełne, miękkie, mocno przylegają do moich. Oddychamy teraz w zgodnym rytmie, lekko, ale zarazem głęboko, nasze życiodajne oddechy się mieszają. Potem jej wargi jakby nabrzmiewają w reakcji na dotyk moich ust. Przesuwam lewą ręką wzdłuż jej gładkiego, jędrnego ramienia, nasze palce się splatają. Moja druga ręka spoczywa lekko na jej szyi. Powieki Dolores drżą, usta wykrzywia coś na kształt bolesnego grymasu. Oddycha coraz szybciej; czuję, że lada chwila się obudzi. Zupełnie się już nie kontroluję. Przesuwam powoli językiem po wewnętrznej stronie jej warg, potem wodzę jego koniuszkiem wzdłuż konturu ust. I nagle ku swemu zaskoczeniu czuję, że Dolores obejmuje mnie ramieniem za szyję i przyciąga do siebie. Ma w dalszym ciągu zaciśnięte powieki. Zamykam też oczy, już nie chcę się hamować.

Pieszczę językiem jej język. Moja ręka wędruje po pejzażu jej ciała, czuję, jak delikatna skóra pręży się pod moimi palcami. Zsuwam jej halkę z ramion, pieszczę ustami jej policzki, a potem szyję i ramiona. Dolores wije się pode mną, całuję zagłębienie między obojczykami. Odczekuję chwilę, czy nie będzie próbowała mnie powstrzymać, gotów przestać, jeśli tylko zażąda. Znam siebie i wiem, że potrafię się pohamować.

Jej piersi są jędrne, sutki małe i twarde, twardsze od moich warg i lekko słonawe. Zdążyłem zapomnieć, jak kojący i sycący jest smak kobiecych piersi. Tak samo odbierałyby to pewnie kobiety, ale w dorosłym życiu nie mają tylu okazji do przekonania się o tym, jak my. To niewątpliwa korzyść z bycia mężczyzną. Dolores zaczyna coś mówić. Początkowo nic nie rozumiem. Przyciąga oburącz moją głowę i przyciska ją do piersi.

– Proszę, Rubio. Proszę. Nie zrób mi krzywdy, błagam!

Pokonując opór jej dłoni, unoszę głowę, żeby spojrzeć jej w twarz. Oczy ma wciąż zamknięte, nabrzmiałe usta półotwarte, głowa miota się na boki. Wiem, że powinienem przestać. Podciągam się nieco w górę i ujmuję jej głowę w obie dłonie. Miękkie włosy rozsypują się na poduszce. Wpatruję się w nią tak długo, aż otwiera oczy. Spojrzenie ma czułe, łagodne, czuję, że mógłbym utonąć w tych oczach, zatracić się bezpowrotnie. Nie odzywa się ani słowem. Trwamy tak dłuższy czas. Nie mogę odejść, wiem zresztą, że ona tego nie chce. Choć jednocześnie wiem, że oboje odczuwamy strach, i myślę, że w końcu jedno z nas się wycofa.

Znów zamyka oczy i kiedy dotykam delikatnie ustami jej ust, reakcja jest natychmiastowa. Odrzucam koc i przywieram do niej, wsparty na łokciach. Splatają się nasze nogi, zwierają wargi i języki, zderzają się zęby. Dolores wije się pode mną. Wstaję i patrzę na nią z góry. Leży nieruchomo z zamkniętymi oczami. Zaczynam się rozbierać. Robię to powoli, sycąc wzrok jej urodą i dając jej szansę, by mogła mi dać znak. Nagi klękam na łóżku u jej boku. Przeciągam dłonią po jej ramieniu; moja ręka wędruje w dół, gładzi krągłe biodro. Dolores odwraca się ku mnie z drżeniem. Kładę się obok niej; oplata mnie ramionami, kładzie mi głowę na piersi. Przyciągam ją do siebie i wodzę dłońmi wzdłuż jej wygiętych pleców aż do gładkich i ciepłych bioder. Potem zdejmuję jej halkę, tak że nic nas już nie dzieli. Zastygamy na pewien czas w bezruchu. Kiedy tak leżę, czując jej ciało, mając świadomość, że nie jestem już samotny, przepełnia mnie bezgraniczne szczęście.

Ale człowiek jest nienasycony. Nasze ciała zaczynają się poruszać w zgodnym rytmie, zharmonizowanym z namiętną pieszczotą ust. Wpełzam na nią i nogami rozchylam jej nogi. Ściska mnie udami, czuję, jak mocno przywiera do mnie. Podnoszę głowę i patrzę jej w twarz, mokrą od łez i potu. Jej dolna warga drży.

– Proszę cię, nie zrób mi krzywdy, Rubio – mówi, otwierając oczy. – Kocham cię, Rubio, nie mogę ci się oprzeć. Nie zrób mi krzywdy.

Wiem, że nie chcę jej skrzywdzić. Ale pragnę jej dla siebie. Chciałbym jej też mówić o tym, jak ją kocham, i nie mogę się na to zdobyć. Przysięgłem kiedyś, że nigdy więcej tego nie powiem. A teraz chciałbym mówić i nie potrafię.

– Nie skrzywdzę cię, Dolores.

Zaczynam się podnosić, żeby się ubrać, przekonać się, czy można cofnąć czas, wrócić do tego, co było jeszcze przed chwilą. Wiem, że powinienem odwieźć ją do domu, do rodziców, gdzie będzie bezpieczna.

Ale Dolores mnie nie puszcza. Nie potrafię się oprzeć magnetyzmowi jej ciała. Odrzuca do tyłu głowę, zamyka oczy, usta ma rozchylone. Znów przypadam do wilgotnych, miękkich ust, znów przywieram do niej całym ciałem. Jej skóra jest śliska od potu, nogi rozchylają się pod naporem moich ud. Zsuwam się w dół, obsypując ją całą pocałunkami; jej skóra ma wiele różnych smaków, a wszystkie są naturalne, żadnych koncentratów kwiatowej woni, żadnych emulsji z wydzielin wieloryba. Już teraz wiem, że nigdy dotąd nie przeżywałem tak intensywnie zbliżenia z kobietą. Zatraciłem się bez reszty w fizyczności Dolores. Mój język natrafia na szczególnie wrażliwy punkt; przy każdym dotknięciu Dolores wije się i jęczy. Dawanie sobie wzajemnie rozkoszy jest rozkoszą największą. Delikatnie dotykam tego czułego miejsca palcami, wyczuwam jednocześnie jedwabistą miękkość i napięcie. Całuję ją, upajając się jej ciałem jak nektarem. Dotykam penisem środka wilgotnego, miękkiego gniazdka i napieram, czując, jak się rozluźnia, otwiera się ostrożnie. Jest tak, jakbym wracał do przeszłości, do miejsca, z którego wyszedłem. Potem wchodzę w nią bez oporu i od tej chwili stanowimy jedność. To prawdziwie magiczna chwila.

Z ust Dolores zapieczętowanych moimi ustami wydobywa się stłumiony jęk, nie tyle bólu, ile niewysłowionej rozkoszy. Nieruchomieję nagle, tryska strumień soków. Palce Dolores zaciskają się na moich plecach, paznokcie orzą skórę. Potem leżymy długo, mocno przytuleni, spijając wzajemnie słodycz z ust. Czuję ponowny napływ krwi. Odczekuję chwilę, niepewny, czy nie sprawiam jej bólu. Leżę nieruchomo, wsłuchuję się w ciche jęki do chwili, kiedy jej ciało uspokaja się i nieruchomieje pod moim.

Przyciskam napięte uda do jej ud, Dolores chwyta delikatnie zębami mój język. Poruszam się coraz szybciej i ona porusza się w tym samym rytmie. Uwalnia mój język i zaczyna wydawać ciche odgłosy, niczym jakieś zwierzątko. Całuję ją w szyję, za uszami, nasze ruchy są coraz gwałtowniejsze. Oczy ma teraz szeroko otwarte, ale nie patrzy na mnie. Jej ramiona prężą się, przyciąga mnie do siebie z całej siły, wijące się ciało przywiera do mnie jeszcze szczelniej. Moje podniecenie rośnie, przestaję się kontrolować, krzyczymy oboje, nie mogę się powstrzymać. Przytrzymuję ramiona Dolores, które młócą bezładnie powietrze. Wreszcie szczytuję i napięcie nieco ustępuje, ale Dolores nie przestaje wić się i jęczeć. Wszystko zaczyna się od nowa. Szybujemy oboje w przestworzach, w nie kończącym się locie; w końcu następuje zderzenie i spadamy ku ostatecznemu odprężeniu, bliskiemu śmierci. Jest to doznanie, jakiego dotąd nie doświadczyłem ani nawet nie potrafiłem sobie wyobrazić.

Kiedy wraca mi zdolność trzeźwego myślenia, stwierdzam, że zsunęliśmy się prawie całkiem na podłogę. Podnoszę Dolores i układam ją na poduszkach. Gdyby nie to, że trzyma mnie kurczowo, można by sądzić, że jest nieprzytomna. Kładę się obok niej i wsłuchuję w jej głęboki oddech, próbując się jakoś oswoić z tą nową sytuacją. Wstaję i zbieram ubranie z podłogi, a tymczasem Dolores zasypia. Z kieszeni moich spodni wypada pudełko z pierścionkiem. Przykrywam Dolores kocem i siadam obok niej. Część moich myśli wciąż szybuje gdzieś poza rzeczywistością, ale z drugiej strony czuję się dość podle. Nie jestem pewien, czy nie dopuściłem się po prostu gwałtu i to na dziewczynie prawie dwa razy młodszej ode mnie. Jak się uporać z tym problemem?

Otwieram pudełko z pierścionkiem; kamień lśni rubinowo w świetle księżyca. Wsuwam go na bezwładny serdeczny palec Dolores. Całuję ją w czoło, potem w usta. Otwiera oczy. Przez dłuższą chwilę patrzymy na siebie. Nie trzeba słów. Potem odwracamy wzrok; w tym momencie stanowimy jedność.

– Czy kochasz mnie naprawdę, Rubio?

Podnoszę do ust jej rękę z pierścionkiem i całuję ją. Nadal nie jestem gotowy do takiej deklaracji. Zbyt łatwo by mi to przyszło, a tak wielkie miałoby dla niej znaczenie. Kiedy odzywa się znowu, jestem niemal gotów wyznać jej miłość.

– Czy będę miała dziecko, Rubio?

Patrzy na mnie spokojnie.

– Nie wiem, Dolores. Nie sądzę.

Nie chcę jej pytać o dni płodne i te wszystkie sprawy. Nie

martwię się tym zbytnio, bo w głębi serca bardzo chciałbym mieć dziecko. Mam już trzydzieści trzy lata.

– Czy ożenisz się ze mną, jeśli urodzę ci dziecko, Rubio?

Nachylam się nad nią i całuję ją w usta. Odwzajemnia z pasją pocałunek; usta ma miękkie, ale suche.

– Ożenię się z tobą, Dolores, ale myślę, że nie będziesz miała dziecka.

Dolores odwraca głowę, podnosi rękę z pierścionkiem i przygląda mu się w świetle księżyca.

– Nie mogę zatrzymać tego pięknego pierścionka, Rubio. Zobaczy go moja matka.

Wykręca rękę w przegubie, potem opuszcza ją na koc.

– Kupiłem ten pierścionek w Gibraltarze. Zatrzymaj go, proszę.

Odwraca głowę i zaczyna płakać. Nie wiem, co powiedzieć. Głaszczę ją po głowie i układam jej włosy na poduszce. Są takie piękne, tak bujne. Nie zauważyłem wcześniej, jakie są miękkie i sypkie. Wyglądam przez okno; ziemia jest niemal śnieżnobiała w świetle księżyca.

– Nie gniewaj się na mnie, Rubio. Zatrzymam ten pierścionek. Jest piękny, ma takie wewnętrzne, czerwone światło, całkiem jak moje uczucia do ciebie.

Całuję ją w ramię. Zaczynam odczuwać chłód. Myślę, że powinienem ją ubrać i odwieźć do domu.

– Powinienem cię odwieźć do domu, Dolores. Ktoś mógł widzieć, jak jechałem przez miasteczko, i wie, że jesteś tu ze mną.

– Nie odwoź mnie, Rubio. Chcę zostać z tobą do rana. Wyjdę o świcie.

Ja sam pragnę tego tak bardzo, że nie mogę się nie zgodzić. Dolores przesuwa się i robi mi miejsce w łóżku. Jej delikatne ciało jest rozpalone. Wzajemna namiętność spowija nas jak kokon. Dolores usypia w moich ramionach; natychmiast idę w jej ślady. Upłynęło wiele czasu, od kiedy spałem ostatni raz z kobietą, spałem w sensie dosłownym. To stan najbardziej odległy od samotności, jej absolutne zaprzeczenie.

Rozdział XVII

Kiedy budzę się rano, Dolores nie ma. Nie mogę pojąć, jak udało jej się wyjść niepostrzeżenie. Biorąc prysznic, ubierając się i jedząc śniadanie, poruszam się jak lunatyk. Chcę na nią patrzeć, rozmawiać z nią. Jestem niespokojny, dręczy mnie poczucie winy.

Wyciągam na zewnątrz poduszki i czyszczę je. Potem wyładowuję i wnoszę do domu meble. Cały czas popatruję na drogę, spodziewając się, że Dolores lada chwila się tam pojawi. Głównie dlatego, żeby się czymkolwiek zająć, zakładam zamki. Ściemnia się, kiedy zakładam ostatnią zasuwę na drzwiach od kuchni. Poduszki wyschły, więc wnoszę je do przyczepy.

Otwieram lodówkę i znajduję umieszczony na rondlu z pieczenią liścik. Jest zatłuszczony, ale da się odczytać.

Señor Rubio, przyrządzone przez Pana mięso bardzo mi smakuje. Może jednak nie jest Pan jaskiniowcem. Lubię też Pana dom.

Dolores

Musiała to napisać, zanim wróciłem do domu. Z jednej strony chciałbym cofnąć to, co się stało, z drugiej rozpiera mnie wielka radość.

Robię sobie sandwicze z pieczenią, kroję pomidory i otwieram butelkę piwa. Po śniadaniu wyjmuję z pudeł i montuję meble. Wyglądają naprawdę świetnie i idealnie pasują do wnętrza. Żałuję, że Dolores nie może tego zobaczyć.

Rozwijam dywaniki i układam je w różnych miejscach tak długo, aż uzyskuję efekt, o jaki mi chodzi. Potem rozstawiam lampy i zapalam wszystkie naraz. Wychodzę na zewnątrz, żeby sprawdzić, jaki jest efekt. Mój zapał w wiciu gniazdka osiąga apogeum. Brakuje jeszcze tylko roślin w doniczkach. Lubię zieleń w domu, zwłaszcza kiedy na zewnątrz krajobraz jest jałowy i niemal pustynny. Będę też musiał zainstalować jakiś nawilżacz powietrza. Chodzę tak godzinami, obmyślając, planując, przypominając sobie, co jeszcze mógłbym zrobić.

Śpię niespokojnie i z ulgą witam poranek. Zostawiam liścik na wypadek, gdyby przyszła Dolores, i jadę do miasteczka. Przejeżdżam w pobliżu zakładu pana Ramosa, ale nie mam odwagi tam wstępować. Postanawiam w duchu, że zajrzę do niego w drodze powrotnej, wiem jednak z góry, że stchórzę. Potrzebuję czasu. Muszę porozmawiać z Dolores i wszystko jakoś uporządkować.

W Maladze znajduję salon volkswagena, kupuję część do rozrusznika i sam ją instaluję. Potem jadę na wielki targ kwiatowy. Kupuję krzewy, sadzonki kwiatów, nawóz i próchnicę. W Central Mercado zaopatruję się w żywność na cały tydzień.

W domu ustawiam rośliny w zacienionym miejscu pod ścianą kuchni i podlewam je. Korzystając z pomocy Jozuego, wydobywam piasek z łożyska strumienia, mieszam go z nawozem i próchnicą i wypełniam tą mieszanką przestrzenie między obmurówką klepiska i ścianami. Potem sadzę w niej rośliny. Podlewam je jeszcze raz i od razu mam wrażenie, że jest o kilka stopni chłodniej.

Ściemnia się, kiedy kończę tę robotę. Żeby trochę ochłonąć, biorę prysznic, najpierw gorący, potem lodowaty. Przygotowuję sobie zimny posiłek i kładę się na kanapie pod oknem. Nie zapalam światła. Przyłapuję się na tym, że wsłuchuję się w ciemność, w nadziei, że pojawi się Dolores. Zastanawiam się, o czym teraz myśli, co czuje.

Nazajutrz, odczekawszy do jedenastej, znów zostawiam karteczkę i jadę do Malagi. Jestem tak niespokojny, że muszę coś robić. Mój mózg pracuje na najwyższych obrotach. Chcę kupić łóżko, ale wszystkie są za krótkie. W końcu kupuję dwa podwójne materace. Każdy ma półtora metra szerokości; układając je obok siebie, będę miał łóżko szerokie na trzy metry. W Ameryce mieliśmy z Gerry prawdziwie królewskie łoże. Kupuję też bieliznę pościelową. Wkładam zrolowane materace do przyczepy i wracam do domu. Mój liścik leży na stole, tam gdzie go zostawiłem. Niosę materace do sypialni i stwierdzam, że wypełniają prawie cały pokój. Tylko z jednej strony jest wąski przesmyk, którym da się przejść, a z drugiej miejsce na półki. O głębszym schowku nie ma mowy. Jest już dobrze po północy, kiedy kończę zszywać prześcieradła i materace. Te ostatnie zszywam dratwą, za pomocą szewskiego szydła.

Wyciągam się wygodnie na nowym łóżku; w miejscu ich połączenia nic mnie nie uwiera, nie ma z tym żadnych problemów. Problemy mam z zaśnięciem. Wciąż przetrawiam w myślach to, co się stało, i staram się jakoś wszystko zracjonalizować. Myślę niemal z nadzieją, że Dolores zajdzie w ciążę, a wtedy będę musiał podjąć jakąś decyzję. Ta natrętna myśl nie daje mi spokoju. Wyobrażam sobie, że mógłbym żyć z Dolores i być dobrym mężem. Wolę nie myśleć o jej narzeczonym ani o panu Ramosie. Mam dziwne uczucie, że prędzej zrozumie mnie pani Ramos. Szkopuł w tym, że jeszcze nie jestem gotów. Wciąż za bardzo cierpię. Nie chciałbym, żeby poślubienie Dolores było swoistym rewanżem wobec Gerry. Nie mógłbym żyć z tą świadomością. Musiałbym być pewien, że tak nie jest, bo inaczej byłoby to nie w porządku wobec Dolores. Poza tym myślę o konfrontacji z Antoniem, kiedy ten wróci z wojska. Nie da się tego uniknąć.

Żeby oderwać się od tych spraw, zaczynam obmyślać budowę zbiornika, który zamierzam umieścić między murem a domem. Miałbym zapas wody na porę suszy i mógłbym zamontować mały wytwarzający prąd młyn wodny, który zastępowałby wiatrak w dni bezwietrzne. Obracam ten pomysł w głowie na wszystkie strony, aż w końcu film mi się urywa i zasypiam.

Zaczynam kopać od samego rana. Wydobytą ziemię wykorzystuję do poszerzenia ścieżki prowadzącej od drogi do domu. Ciężka praca daje mi wiele satysfakcji. To jest to, czego mi najbardziej potrzeba.

W poniedziałek jest niemiłosiernie gorąco. Zaczynam budować formy do pustaków. Jestem podenerwowany, niespokojny, wyczekuję Dolores, niepewny, czy przyjdzie. Mija południe, a jej nie ma. Wreszcie widzę ją: mija mnie, wchodzi do kuchni i bierze miednicę. Zastępuję jej drogę, biorę od niej miednicę i stawiam na lodówce. Dolores pada mi w ramiona i zaczyna rozpaczliwie płakać. Zanurzam twarz w jej włosach i stoimy tak długo bez słowa.

Potem prowadzę ją do pokoju i sadzam na kanapie. Przytula mi twarz do szyi i podkurczywszy nogi, sadowi mi się na kolanach. Zamykam oczy; mam wrażenie, że w zalanym słońcem pokoju jest zbyt widno. Po chwili podnoszę głowę Dolores, żeby spojrzeć jej w twarz. Ma zamknięte oczy, policzki jej płoną. Pochylam się i całuję ją w słone od łez usta.

– Nie będę miała dziecka, Rubio.

Patrzy mi w oczy, przewierca mnie wzrokiem, jakby chciała zajrzeć mi do mózgu, przejrzeć mnie na wskroś. Siedzę bez ruchu. Dolores znów zamyka oczy i zaczyna płakać.

– Napisałam dziś rano do Antonia.

Głaszczę jej miękkie, jedwabiście gładkie włosy.

Przytula się do mnie mocniej. Rozgrzane powietrze za oknem drży i faluje. Czuję suchość w ustach. Chcę mówić, powiedzieć coś ważnego, ale nie mogę. Wciąż ten sam stary problem. Boję się, że jeśli zacznę mówić, rozpłaczę się, a na to nie mogę sobie pozwolić. Czuję bolesny ucisk w gardle.

– Jeśli chcesz, Rubio, zostanę tu i będę żyć z tobą. Jestem gotowa to zrobić.

Przestaje płakać, ale drży na całym ciele. Udziela mi się to; czuję jak drżą mi uda.

– A jak by to przyjęli twoi rodzice, Dolores?

Chcę je powiedzieć, że nie jestem jeszcze gotów, że potrzebuję trochę czasu. Wyczuwam w niej napięcie i wyczekiwanie.

– Bardzo cię proszę, poczekajmy z tym trochę, Dolores. Nie chcemy przecież nikogo niepotrzebnie zranić.

Jest to prawda, ale właściwie chciałbym powiedzieć coś całkiem innego. Głaszczę jej ramię, ona nie reaguje. Siedzimy w milczeniu dłuższy czas, potem Dolores wstaje. Nie patrzy na mnie.

– Tak, Rubio. Poczekajmy.

Poprawia bluzkę, wygładza spódniczkę i odgarnia włosy z twarzy.

– Nie wysłałam jeszcze tego listu do Antonia, Rubio.

Oczy ma zapuchnięte, zaczerwienione i błyszczące. Przechodzi przez pokój i dotyka nowych mebli. Wstaję. Kiedy zaczyna mówić, jej głos jest cichy, spokojny, beznamiętny.

– Po co robisz to wszystko, Rubio? Pochłania to cały twój czas. Nie rozumiem tego. Czy twoje życie polega na budowaniu domu dla siebie? Jaki masz cel?

Podchodzę do niej od tyłu i zasłaniam jej oczy rękami. Dolores kładzie dłonie na moich.

– Przepraszam, Dolores. Daj mi trochę czasu, a wszystko się ułoży. Przyrzekam ci.

Przytula się do mnie na chwilę i idzie do kuchni. Wychodzi z miednicą i znika w sypialni. Idę za nią. Dolores stoi i przytrzymując miednicę jedną ręką, drugą wskazuje z uśmiechem na moje łóżko.

– No proszę, oto łoże dla señora Rubio, amerykańskiego olbrzyma. On zawsze musi wszystko ulepszyć!

Prześlizguje się obok mnie i wraca do kuchni. To jest coś, co mnie całkowicie rozbraja. Jak zwykle rejteruję i wychodzę, żeby popracować nad formami do pustaków.

Podczas lunchu zastanawiamy się, co robić dalej. Jest lepiej. Dolores chciałaby się po prostu wyprowadzić; do diabła z tym, co powiedzą ludzie. W jej wyobrażeniu jesteśmy już małżeństwem. Ja zachowuję rezerwę, kręcę, lawiruję. Co jest, do cholery, że nie potrafię stawić czoła takim sytuacjom? Czy rzeczywiście jestem „patologicznie nieszczery wobec własnych emocji", jak to określiła Gerry? Dochodzimy do pewnego kompromisu: Dolores poprosi rodziców o zgodę na to, żeby mogła przychodzić do mnie codziennie. Nie chce za to żadnego wynagrodzenia, ale przekonuję ją, że wyglądałoby to dziwnie. Uzgadniamy, że będę jej płacił pięć tysięcy peset miesięcznie i że będzie korzystać z Jozuego. Wszystko razem powinno przekonać jej matkę.

– Nie chcę mieć nic wspólnego z pieniędzmi, Rubio. Nie chcę niczego, tylko być z tobą.

To, co mówi, wywołuje u mnie przyjemny dreszczyk i jednocześnie niepokój.

– Przeznacz wobec tego te pieniądze dla Tii albo odkładaj w banku.

Dolores kiwa głową, wstaje.

– Muszę już iść, Rubio. Robi się późno.

Okrążam stół i podchodzę do niej. Całujemy się długo i czule. Usta Dolores są cudownie pełne i miękkie, w odróżnieniu od moich, jakby sztywnych i niepodatnych.

Przez dwa dni mieszam cement z piaskiem i wlewam do form. Wciąż intensywnie myślę o tym, co się stało, i wypatruję Dolores. Trzeciego dnia wieczorem przychodzi z matką. Witam je w progu. Señora Ramos rozgląda się dokoła.

– Ach, jak tu pięknie, señor Rubio, jeszcze piękniej, niż opisywała Dolores.

Pani Ramos jest odświętnie ubrana. Biorę od niej szal. Dolores rzuca mi szybkie spojrzenie. Jej matka krąży po pokoju, dotykając wszystkiego, tak jak wcześniej robiła to córka.

– To najpiękniejszy dom, jaki widziałam w życiu, señor Rubio. Mój mąż ma rację, musi pan uważać na Vincentiego.

Przysuwam krzesło bliżej kominka. Pani Ramos unosi rąbek długiej sukni i siada. Dolores siada obok. Idę do kuchni po ser i wino. Señora Ramos woła w ślad za mną:

– Carlos nie mógł dziś przyjść. Rozbolały go nogi. Ta praca na stojąco z roku na rok daje mu się coraz bardziej we znaki.

Wracam, stawiam kieliszki i kładę ser na ławie przed kominkiem. Nalewam wina.

– Dolores mówi, że chciałby pan, żeby tu pracowała na stałe, señor Rubio. Czy to prawda?

Potwierdzam skinieniem głowy.

– Tak, señora Ramos. Teraz, kiedy dom jest tak duży i umeblowany, chciałbym mieć kogoś, kto by się nim zajął. Następuje pauza. Pani Ramos patrzy mi głęboko w oczy. – Señor Rubio, tak naprawdę to potrzebna panu żona. – Zatacza ręką krąg. – To wszystko jest za dobre dla jednego człowieka. Niech pan się wybierze do Torremolinos, señor Rubio, i znajdzie sobie żonę wśród tych pięknych młodych cudzoziemek. Albo niech się pan ożeni z jakąś hiszpańską dziewczyną. – Znów robi pauzę, spogląda na Dolores. – A może ożeni się pan z Dolores, señor? Byłaby z niej dobra żona.

No i proszę! Dolores próbuje zamknąć matce usta dłonią. Czerwieni się gwałtownie. Señora Ramos śmieje się i odpycha jej rękę.

– Może jestem za stara i zbyt konkretna, żeby moje rady spodobały się młodym ludziom. Jestem też samolubna, chciałabym, żeby moja córka zamieszkała w takim pięknym domu. Naprawdę bym chciała, żeby wszedł pan do naszej rodziny. – Znowu wstaje. Przeciąga dłonią po gładkim blacie stołu i pustym kredensie. – Teraz, señor Rubio, musi pan kupić zastawę, żeby nie musiał pan pożyczać ode mnie.

Podchodzi do mnie i wysunąwszy swą małą stópkę do przodu, patrzy mi prosto w oczy. Po raz pierwszy dostrzegam w niej energiczną, atrakcyjną kobietę.

– Gdybym była młoda i zgrabna, señor Rubio, usidliłabym pana. Coś mi się zdaje, że pan się boi kobiet. Jest pan tu już prawie rok i wciąż pracuje pan przy domu. To nie jest normalne. Nie zgadzam się z Carlosem co do *rubios*, ludzie są wszyscy tacy sami.

Dolores wstała i podeszła do okna. Señora Ramos zwraca się w jej stronę.

– Niech pan na nią spojrzy, señor Rubio: jest niewinna jak nowo narodzone dziecko. – Odwraca się ode mnie i znów siada. – Dolores bardzo zależy na pracy u pana, señor. Te pieniądze pomogą jej wyjść za mąż. Kiedy Antonio wyjdzie z wojska, będzie całkiem goły. Carlos uważa, że Dolores jest za młoda, i boi się gadania señora Vincentiego. A ja myślę, że skoro nie jest za młoda na to, żeby być *novia*, to jest też dostatecznie dorosła, żeby pracować. I nie obchodzi mnie, co powie Vincenti. – Mierzy wzrokiem Dolores. – Musi tylko być w domu przed zmierzchem i mieć wolne w niedziele, kiedy ojciec jest w domu. I codziennie musi jeść kolację z nami.

Kiwam głową; señora Ramos podnosi kieliszek z winem. Stukamy się. Wszystko to jest takie oficjalne, że czuję się, jakbym już był na pół żonaty.

– Przyjdzie jutro rano, señor Rubio.

Patrzę na Dolores, ale ona wygląda przez okno. Señora Ramos wyciąga do mnie rękę. Ściskam jej dłoń.

– Musimy już iść, señor Rubio. Dziękujemy za gościnę. Pański dom jest naprawdę piękny.

Podaję jej szal i odprowadzam je do miejsca, gdzie pasie się Jozue. Señora Ramos dosiada osła, Dolores idzie pieszo. Odprowadzam je wzrokiem, aż znikają, i wchodzę do domu. Nalewam sobie wina, próbując zebrać myśli. Wystarczyło zrobić jedno: powiedzieć, że chcę się ożenić z Dolores. Pani Ramos dała mi wielką szansę, ale ja z niej nie skorzystałem. Co się ze mną dzieje?

Rozdział XVIII

Przewracam się z boku na bok, na wpół rozbudzony, kiedy nagle słyszę jakieś odgłosy dobiegające z kuchni. Zamykają się drzwi lodówki, szumi woda. Pytam, kto tam; w drzwiach pojawia się głowa Dolores.

– Czy zawsze przesypia pan cały ranek, señor Rubio?

Podchodzi, biorę ją za rękę. Ma na palcu pierścionek. Przyciągam ją do siebie, nie stawia oporu. Ma chłodne usta, chłodne dłonie dotykają moich rozgrzanych pleców. Odsuwa się na brzeg łóżka.

– A teraz zjesz śniadanie w łóżku, jak w amerykańskim filmie.

Idzie do kuchni. Przewracam się na brzuch i wystawiam twarz w stronę otwartego okna, na podmuchy chłodnego wiatru. Słońce jest już wysoko na niebie. Dały o sobie znać te wszystkie nieprzespane noce.

Dolores wraca i siada na brzegu łóżka. Wykorzystując kawałek deski jako tacę, podaje mi śniadanie: tost, dzbanek kawy i jedną filiżankę. Nie mam pojęcia, jak zrobiła ten tost. Nalewa mi kawy. Ręka tak mi się trzęsie, że oblewam się kawą. Odstawiam filiżankę.

– Co się dzieje, Rubio? Jesteś *frio*? – Przygląda mi się uważnie, z udawaną troską. – Wobec tego będę musiała pana nakarmić.

Uśmiecha się i przykłada mi filiżankę do ust. Pociągam łyczek. Wzrok Dolores skoncentrowany jest na filiżance, ale jej też drży ręka. Odstawia herbatę i zaczyna karmić mnie jak dziecko, odrywając kawałeczki grzanki z dżemem. Chwytam wargami jej palce. Kiedy wyciągam ręce, żeby ją objąć, kładzie się obok mnie. Zaczynam jej rozpinać sukienkę, ale powstrzymuje mnie.

– Bo podrzesz, Rubio. Odwróć się i zamknij oczy.

Przewracam się na bok. Potem czuję chłodną gładkość jej ciała i odwracam się do niej. Kochamy się szybko i z pasją. Mam wrażenie, że stanowimy oboje część jakiejś innej rzeczywistości. Jesteśmy razem i tylko to się liczy, cała reszta przestaje istnieć. Potem zasypiam słodko w jej objęciach.

Budzę się i czuję, że Dolores ociera się policzkiem o moją szyję.

– Rubio, ja wstaję. Jestem głodna. Nie patrz, zamknij oczy.

Czuję, jak pełznie przez materac. Słyszę szelest wkładanej przez głowę sukienki i szuranie pantofelków. Wsłuchując się w te odgłosy, znów zasypiam. Zupełnie jakbym był w narkotycznym transie.

Kiedy się budzę, jest po dwunastej. Idę do łazienki. Stół w dużym pokoju jest nakryty. Widzę sałatkę z jajek, pomidorów, sałaty i ziemniaków. Ubieram się i idę do kuchni; Dolores nalewa do miseczek zupę. Podchodzę do niej od tyłu i kładę jej ręce na biodrach. Przytula się do mnie, a ja całuję ją w kark.

– Jedzenie wygląda cudownie, Dolores. Ja też jestem głodny jak wilk.

Odwraca się do mnie, obejmuję ją mocno. Kiedy zaczyna mówić, jej głos brzmi tak, jakby za chwilę miała się rozpłakać.

– Tak bardzo cię kocham, Rubio. To, co robimy, nie może chyba być złe, prawda?

Głaszczę ją po głowie. Dolores bierze miseczki z zupą; idę za nią do pokoju. Lunch jest pyszny. Jedząc, rozmawiamy o wszystkim: uświadamiam sobie, że dzieli nas tyle barier! Dolores jest bardzo ciekawa mojej przeszłości, ale ja nie jestem jeszcze gotów, żeby mówić o moich przeżyciach i przejściach z Gerry. Moje teraźniejsze życie jest tak proste; nie wiem, czy kiedykolwiek uda mi się dokładnie wytłumaczyć Dolores tamte sprawy. Czy zrozumie manifestowaną przez Gerry potrzebę bycia niezależną i wolną? Ciekawe, co powiedziałaby na jej pragnienie „bycia sobą" i na żądanie, abym od czasu do czasu przeistaczał się w „demonicznego kochanka"? Nie sądzę, abym potrafił jej to wyjaśnić. Poza tym przestaje to być interesujące, nawet dla mnie samego. Cała koncepcja „otwartego małżeństwa" zaczyna mi się wydawać czymś w rodzaju „otwartej rany" czy „otwartego ścieku"

Tak wielu naszych znajomych trzymało się rozpaczliwie tego modelu egzystencji, próbowało oszukiwać samych siebie, topiąc swe frustracje w alkoholu, zamieniając się w ludzi płytkich i nieciekawych. Tylu z nich zniszczyło przekonanie, że ich życie nie ma sensu. Nie chciałbym o tym opowiadać Dolores, nawet gdybym wierzył, że potrafię jej te sprawy wytłumaczyć.

Po lunchu przebieram się w robocze ciuchy i idę pracować nad zbiornikiem. Widzę, jak Dolores krząta się po domu. Mniej więcej po godzinie wychodzi wytrzepać dywaniki. Przywołuję ją gestem. Podchodzi i przytula się do mnie; tłumaczę jej, co robię. Mój pot wsiąka w jej sukienkę.

– W końcu będziesz mógł żyć zupełnie sam, Rubio. Nie będziesz potrzebował nikogo. Dlaczego chcesz być sam?

Patrzę jej w twarz; jest bardzo poważna. Całuję ją w czubek głowy. Jej włosy są nagrzane i pachną po prostu życiem.

– Wszyscy jesteśmy samotni, Dolores. Chcę być tylko z tobą, wtedy nie będę się czuł taki samotny.

Przesuwam się tak, żeby zasłonić twarz Dolores przed słońcem. Jej oczy są w tej powodzi światła niemal czarne. Całuję ją i wilgotna miękkość jej ust daje mi poczucie siły. Trzyma mnie za ramiona. Rozstawiam nogi, żeby być trochę niższym. Wokół nas upał i kurz.

Już po wszystkim jestem cały unurzany w żółtym pyle. Pył wypełnia mi nozdrza i usta. Zgrzyta mi w zębach. Spluwam. Jeszcze nigdy nie wyszło ze mnie takie zwierzę. Patrzę z góry na Dolores. Wygląda jak na zdjęciu z policyjnego biuletynu: leży w żółtym pyle z rozrzuconymi rękami i nogami, robi wrażenie nieprzytomnej. Spódnicę ma zadartą wyżej pasa. Unoszę się na łokciu i podnoszę z ziemi jej majtki. Dolores oddycha głęboko, jakby spała. Pochylam się nad nią i całuję ją w obie skronie, tam, skąd wyrastają jej przepyszne włosy. Otwiera oczy, w pierwszej chwili ma wzrok całkiem nieprzytomny, jakby nieobecny.

– Bardzo cię kocham, Rubio.

Znów ją całuję. Tak dzikiej namiętności dotąd nie doświadczyłem. Czy zawsze we mnie drzemała? Czy to nieodłączny składnik miłości? Jeśli tak, to nigdy dotąd nie kochałem.

Dolores przesuwa palcami po moim torsie. Biorę ją za ramiona i podnoszę. Patrzy w słońce. Wstajemy, Dolores zaczyna wygładzać sukienkę i otrzepywać kurz. Sczesuje włosy do tyłu i związuje je w gruby węzeł. Wygląda teraz zupełnie jak Cyganka.

– Nie mogę tak iść do domu, Rubio. Co ja z tym zrobię?

Ma półotwarte usta, w oczach strach połączony z fascynacją. Podnoszę z ziemi trzy guziki.

– Chodź, wejdźmy do domu. Będziesz wyglądać jak nowa. Najpierw weźmiesz prysznic, potem wyczyścimy porządnie sukienkę, poprzyszywamy co trzeba i wszystko będzie w porządku.

Idziemy i bierzemy razem natrysk. Woda pokrywa nas cienką warstewką, spłukuje z nas kurz i pot i znów stajemy się ludźmi.

Czyścimy gąbką jej suknię, Dolores rozczesuje i suszy włosy, przyszywa guziki. Kiedy wszystko jest skończone, wygląda całkiem nieźle. Już w progu zdejmuje pierścionek z palca i wręcza mi go. Wkładam go na mały palec lewej ręki. Dolores całuje mnie, dosiada pośpiesznie Jozuego i rusza w stronę miasteczka. Odprowadzam ją wzrokiem do chwili, kiedy znika za zakrętem. Na kolację zjadam resztki z lunchu i uświadamiam sobie, że już teraz bardzo mi jej brakuje.

Rozdział XIX

Nie zawsze siedzimy w domu. Czasami pakujemy prowiant i wyruszamy w góry. Dolores zna różne ciekawe miejsca. Pewnego dnia zabiera mnie na wycieczkę do jaskini w górach, którą można przejść aż do Sierra Nevada. Jadąc tam, mijamy po drodze starą kopalnię. W końcu zatrzymuję samochód i pniemy się po zboczu na szczyt wzgórza. Po godzinie wspinaczki Dolores pokazuje mi zielony klin soczystej zieleni w samym środku wielkiego piargu porośniętego na obrzeżach szarą kosodrzewiną.

– Spójrz, Rubio, to tam. Jaskinia jest nad tą łączką. Jest tam też woda.

Kiwam głową i dyszę ciężko; jestem wykończony. Widzę okrągłe plamy potu na plecach Dolores, ale ona wcale nie wygląda na zmęczoną.

Kiedy w końcu docieramy do celu, widok jest imponujący. Spomiędzy skał wypływa strumyk i nawadnia spłachetek zieleni. Kilka kóz skubie trawę. Przechodzimy przez to pochyłe pastwisko do wejścia do jaskini. Bije z niej chłód i połączony odór rzeźni i latryny. Brzęczą głośno roje much.

Początkowo oślepieni słońcem nic nie widzimy. Wchodzimy ostrożnie do środka. Stopniowo wnętrze jaskini zaczyna nabierać kształtu. Sklepienie jest wysoko, a w głębi, w górze widać dwie czarne czeluście korytarzy. Skalne ściany pokrywa czerwonawy nalot, nogi grzęzną w miałkim piasku. Tuż przed nami dostrzegamy źródło nieznośnego odoru i przyczynę obecności much. W półmroku ciemnieje ścierwo wielkiej kozy. Wygląda na świeżo zabitą; wnętrzności walają się w pyle, jasnobrązową sierść pokrywa zakrzepła krew.

– To sprawka wilków, Rubio. Czają się wśród skał i zabijają kozy.

133

Pochyla się nad padliną, wyciąga rękę i zaczyna grzebać we wnętrznościach kozicy. Wyciąga coś, co wygląda na zmokłego szczura, potem jeszcze jedno takie samo stworzenie. – Widzisz, miała zostać matką... Biedactwa zginęły razem z nią. Jakie to smutne, Rubio. – Kładzie nie narodzone koziołki obok matki i wyciera ręce o ziemię. Wstaje. Muchy wracają. – Chodźmy stąd, Rubio.

Idziemy przez łączkę na jej skraj, aby znaleźć się jak najdalej od wejścia do jaskini, i siadamy, żeby zjeść lunch. Zamyślona Dolores milczy. Po śniadaniu patrzymy długo na morze. Panorama jest rozległa: sięga od Malagi do Marbelli.

– Dlaczego życie musi być takie ciężkie i smutne, Rubio? Dlaczego wszystko nie może być takie piękne jak to, co jest między nami?

Jej głowa spoczywa na moich kolanach; gładzę koniuszkami palców gęste, nie wyskubane brwi. Sam czuję się dziwnie przygnębiony.

– Któż to wie, Dolores? Czyż twoja religia nie głosi, że życie jest padołem łez?

Dolores milczy, widzę, że łzy napływają jej do oczu. Ocieram je, unoszę lekko jej głowę i całuję ją.

– Nie chcę, żeby tak było, Rubio. To tylko gadanina starych ludzi.

Nie podejmuję tematu. Nie ma sensu tego roztrząsać.

Siedzimy tak około godziny, potem zaczynamy schodzić. Docieramy do domu akurat w porę, żeby Dolores mogła wziąć natrysk i iść do siebie.

Innym ulubionym celem naszych wycieczek jest oddalona o jakieś pięć kilometrów ukryta plaża za Fuengirolą. Nie wiem, jakim cudem Dolores ją odkryła. Schodzi się do niej po stromym zboczu, właściwie urwisku, i widać ją dopiero wtedy, kiedy pokona się połowę stromizny. Jest to mała kamienista zatoczka, ale z dobrze ukrytą maleńką wysepką białego piasku. Brzeg usiany jest skałami, skały sterczą też z wody, która jest tu wyjątkowo czysta.

Opłynąłem kilka z bardziej odległych skał, płosząc małe ośmiornice. Przy pierwszym spotkaniu z tymi stworzeniami omal się nie utopiłem, tak mnie wystraszyły.

Czasami zostajemy tam cały dzień i wtedy gotujemy na plaży. Dolores pokazuje mi, jak wygrzebywać z dna drobne małże, więc zwykle wzbogacamy nimi nasze posiłki. Cudownie jest popływać sobie, poleżeć na piasku, pokochać się, porozmawiać i uraczyć owocami morza. Żałuję, że nie mam ekwipunku płetwonurka czy choćby masek, żeby pokazać jej różne podwodne cuda. Wciąż nie mogę jej nauczyć nurkować z otwartymi oczami.

Dolores i Jozue szczerze się polubili. Każdego ranka Dolores czesze go, karmi i poi. Chce, żebym mu zbudował stajenkę po drugiej stronie studni. Sam wiem, że jeśli zamierzam go dalej trzymać, trzeba będzie coś sklecić, zanim nadejdzie pora deszczowa. Postanawiam, że zbuduję stajnię z kamieni zwędzonych z terenów należących do Vincentiego. Chrzanić Vincentiego; w końcu to on sam podsunął mi ten pomysł.

W niedzielę, kiedy Dolores nie przychodzi, Jozue ryczy i grzebie kopytem, srodze zawiedziony tym, że to ja przynoszę mu obrok. Są to dni, kiedy obaj czujemy się samotni.

Pewnej niedzieli, mniej więcej miesiąc po tym, jak Dolores zaczęła przychodzić regularnie, stoję przy pompie, instalując nowe płuczki, nagle dostrzegam na drodze nadbiegającą Dolores. Widzę, że ma na sobie swoją najlepszą sukienkę. Wchodzi do domu od frontu, a ja od kuchni; spotykamy się w miejscu, gdzie salon łączy się z głównym budynkiem. Rzuca mi się w ramiona. Jest zgrzana, zdyszana, drży na całym ciele.

– Rubio!

Trzymam ją mocno w objęciach. Czuję, że udziela mi się jej napięcie.

– W nocy przyjechał Antonio! Przyjechał z Madrytu bez przepustki!

Stało się. Nie chciałbym zdradzić, że się boję.

– Czy napisałaś mu o nas, Dolores?

– Nie, Rubio. Jego brat mu napisał. Vincenti powiedział jego bratu, że żyję z tobą od pewnego czasu. Tak strasznie się boję, Rubio! Może uciekniemy twoim autem?

– To nie miałoby sensu, Dolores. Zaczekaj, niech pomyślę. Skąd wiesz, że brat napisał do niego? Kto ci to powiedział?

– Antonio przyszedł do nas w nocy. Był w mundurze. Ma nóż i pewnie też pistolet. Był taki blady, Rubio! Rozpłakał się, a ja nie wiedziałam, co powiedzieć!

– I co mu w końcu powiedziałaś? Co mu powiedziałaś o nas?

– Byłam taka wystraszona, Rubio. Bałam się, że mnie uderzy albo zabije. Powiedziałam, że ja tylko pracuję u ciebie. On twierdził, że spałam u ciebie którejś nocy, i nawet zapytał ojca, czy to prawda. To było straszne. Ojciec okropnie się zdenerwował, na mnie, na mamę, na Antonia. Och, Rubio, mówię ci, uciekajmy!

– I na czym stanęło? Co mu w końcu powiedziałaś?

– Powiedziałam, że nie jestem już jego *novia*, Rubio. Wtedy się rozpłakał. Powiedział, że żałuje, że nie wzięliśmy ślubu, zanim wyjechał do Madrytu. A o tobie powiedział, że jesteś cudzoziemskim diabłem i że chcesz mnie tylko do łóżka. Szalał. Groził, że przyjdzie tu i cię zabije. Powiedział też, że ja jestem tylko głupią dziewczyną, ale ty jesteś dorosłym mężczyzną, który wie, co robi. Myślę, że on może to zrobić, Rubio. Hiszpanie potrafią być straszni, kiedy zrani się ich dumę.

– Niech przyjdzie, jeśli musi, Dolores. Co mam mu powiedzieć? Nie wie nic, oprócz tego, co wymyślił Vincenti. Co mam mu twoim zdaniem powiedzieć?

– Nie załamuj go jeszcze bardziej, Rubio. On już i tak strasznie cierpi. Jeśli dojdzie między wami do rozmowy, nie rań go, błagam cię!

– Dobrze, Dolores, idź teraz do domu. Jeśli wracając, zobaczysz Antonia, schowaj się gdzieś, dopóki nie przejdzie. I siedź w domu, z rodzicami.

– Bądź ostrożny, Rubio!

Widzę łzy w jej oczach.

– Dobrze, będę ostrożny, Dolores. A teraz wracaj szybko do domu. Rozumiesz?

– Tak, Rubio.

Całuję ją. Czuję, że trzęsą mi się nogi. Chcę zostać sam, żeby przemyśleć sprawę.

Dopiero kiedy Dolores znika za zakrętem, wchodzę do domu. Biorę prysznic, wkładam moje najlepsze ubranie, czystą koszulę, krawat i ciemnobrązowe buty. Golę się i przyczesuję włosy. Potem wyjmuję ze skrzynki na narzędzia dłuto. Kładę je pod poduszkę na krześle, na którym będę siedział, po namyśle przekładam pod leżące na stoliku czasopismo. Choć dłuto znaczy niewiele w zestawieniu z pistoletem, może być przydatne, gdybym został zaatakowany nożem. Mam nadzieję, że nie będę musiał go użyć. Otwieram butelkę piwa, biorę szklankę, siadam i czekam. Jestem gotów do konfrontacji. Mam nadzieję, że Dolores dotarła bezpiecznie do domu.

Upływają dwie godziny, dwie długie, nerwowe godziny, zanim wreszcie dostrzegam go na drodze. Jest sam. Ma na sobie mundur, za duży i źle uszyty, na głowie dziwaczną czapkę. Skręca na ścieżkę prowadzącą do domu. W pewnej chwili zatrzymuje się i osłania oczy dłonią. Ma u pasa bagnet, ale nie widzę żadnego pistoletu. Nie jestem zresztą pewny, bo broń może być ukryta w fałdach munduru.

Idzie coraz wolniej; wychodzę mu naprzeciw. Widzę, że twarz ma bladą, oczy podkrążone. Nie wyciąga do mnie ręki.

– To pana nazywają señor Rubio?

– Owszem. A pan jest pewnie Antonio?

Kiwa głową, zwilża wargi i podpiera się pod boki.

– Chciałbym z panem porozmawiać, señor.

– Proszę do środka. Straszny dziś upał.

Przytrzymuję drzwi i cofam się, żeby go przepuścić. Wchodzi, ale zatrzymuje się zaraz po przekroczeniu progu, więc ledwie udaje mi się zamknąć za nim drzwi. Zdejmuje czapkę, jego kruczoczarne włosy są wilgotne od potu.

– Proszę usiąść, señor, napijemy się piwa. Z miasteczka kawałek drogi, a jeszcze przy takim upale...

Siada na brzeżku kanapy; jego rozbiegany wzrok ślizga się po całym pokoju, nic nie ujdzie jego uwagi. Wyjmuję dwie butelki z lodówki i nalewam piwa do wysokich szklanek. Przynoszę je do pokoju, pijemy w milczeniu. Czekam, aż zacznie mówić. Jeszcze raz błyskawicznie lustruje mój salon.

– No tak. Ma pan piękny dom, señor.

– Dziękuję. Zawsze marzyłem, żeby zbudować coś takiego. Pozwoli pan, to pana oprowadzę.

Nigdy bym się nie spodziewał, że będę odgrywał rolę Jacky Kennedy. Antonio idzie za mną w stronę studni, gdzie demonstruję mu całą hydrauliczną instalację. Objaśniam zasadę współpracy prądnicy z wiatrakiem i to, w jaki sposób pompuję wodę. Pokazuję mu zbiornik, który właśnie buduję, i tłumaczę, w jaki sposób doprowadzę wodę do domu. Oglądamy piekarnik, lodówkę i łazienkę. Kończymy ten obchód w salonie, proponuję jeszcze jedno piwo. Odmawia. Nie siada ponownie. Miętosi w palcach czapkę.

– Chciałbym porozmawiać z panem o Dolores, señor.

– To cudowna dziewczyna, Antonio. Bardzo pracowita. Prawdziwy szczęściarz z ciebie.

– Ona jest moją *novia*, señor, ale ludzie w miasteczku mówią, że przychodzi tu codziennie.

– Nie rozumiem, w czym problem?

– Chodzi o to, że pan jest samotnym mężczyzną, a ona młodą kobietą, señor. – Coraz bardziej nerwowo obraca w palcach czapkę, opuszcza wzrok, potem patrzy mi prosto w oczy. – W małym miasteczku człowiek musi być w takich sprawach bardzo ostrożny, señor.

– A zatem może nie powinna tu przychodzić, Antonio. Jeśli jej rodzice się o nią niepokoją, nie powinni jej na to pozwalać. Znajdę sobie kogoś innego do pracy. Płacę dobrze, więc chętnych nie zabraknie i skończy się gadanie.

– Tu nie chodzi o jej rodziców, señor. Mówią o tym ludzie w miasteczku i moja rodzina.

– Więc może powinieneś porozmawiać o tym z Dolores, Antonio?

– Tak, señor. Chyba tak będę musiał zrobić.

Przez chwilę stoimy obaj, milcząc.

– Dolores to taka dobra dziewczyna, señor. I bardzo młoda...

Patrzę na niego, czekam, co będzie dalej. Szczerze mi żal chłopaka. Ten, który kocha nadal, kiedy druga strona przestaje, jest na straconej pozycji.

– Taki dom mógł zawrócić w głowie młodej dziewczynie, señor.

– Nie ma się czym martwić, Antonio. Dolores to bardzo dobra dziewczyna.

Antonio odwraca się w stronę wyjścia. Odprowadzam go i otwieram mu drzwi.

– Dziękuję za wizytę, Antonio. Zatroszczę się o twoją *novia*.

Zatrzymuje się i odwraca w moją stronę. Oburącz wkłada czapkę na głowę.

– Dolores nie jest już moją *novia*, señor. Pogniewała się na mnie, bo uwierzyłem w to, co mówią inni. Ona już nie jest moja.

Odwraca się i wychodzi. Patrzę, jak się oddala. Zamykam drzwi i idę do sypialni. Rzucam się na łóżko i rozpinam marynarkę. Jestem zlany potem. Kogo właściwie usiłuję chronić: siebie czy Dolores?

Rozdział XX

Dni zlewają się w jedno. Dolores i ja żyjemy jak gdyby poza czasem. Kończę budowę zbiornika i instaluję pompę elektryczną. Zakładam białe kafelki w łazience i w kuchni. Dom zaczyna wyglądać jak rezydencja w Fernando Valley. Dolores sporządza listę potrzebnych rzeczy i jedziemy do Malagi na zakupy. Wszystkie moje rośliny się przyjęły, niektóre zaczynają kwitnąć. Zaczyna się pora deszczów, ale specjalnie nie pada; czasem tylko mży i zdarzają się dni, kiedy niebo jest zachmurzone.

Wygląda to wszystko jak jeden długi miesiąc miodowy. Dolores jest zawsze chętna i nie zachowuje ostrożności. Tymczasowo opracowałem system i jeden tydzień każdego miesiąca nazywamy *Semana Santa*, świętym tygodniem. Nie chcę, żeby Dolores poczuła się schwytana w sidła małżeństwa. Nie chcę też dostarczać ludziom z miasteczka tematów do plotek. Jest to trudne, a Dolores bynajmniej mi w tym nie pomaga; chciałaby być ciągle ze mną.

Jest dla mnie jasne, że jej matka zaczyna się orientować w sytuacji. Państwo Ramos zapraszają mnie na Wigilię i po raz pierwszy czuję się w ich domu nieswojo. Dolores zaczyna przychodzić na noc. Za pierwszym razem jest to w Nowy Rok. Parę dni wcześniej byłem znów u nich i piliśmy hiszpańskiego szampana, którego kupiłem w Maladze. Potem pożegnałem się i pojechałem do domu, a gdzieś koło czwartej zjawiła się u mnie Dolores.

– Nie mogłam dziś zasnąć bez ciebie, Rubio. Wszyscy śpią, więc pomyślą tylko, że po prostu wcześniej wyszłam.

Wślizguje się do łóżka; jej ciało zachowało chłód nocy.

Od tego czasu zaczyna przychodzić na noc dwa, trzy razy

w tygodniu. Wyczekuję jej i czasami nie mogę zasnąć, jeśli nie przyjdzie.

Obramowuję kamieniami ścieżkę prowadzącą do domu i maluję je na biało. Kiedy Dolores przychodzi nocą, jest jej łatwiej trafić. Mówi, że jestem zwariowanym Angolem. Zbieram wszystkie zbędne kamienie, żeby wyrównać kawałek terenu, na którym stawiam zwykle samochód. Mam pod dostatkiem wody, więc postanawiam nawadniać ziemię wokół domu; po pewnym czasie zaczyna ją pokrywać miękki, zielony kobierzec trawy.

Pewnego dnia, kiedy kończę stawiać bramę i wchodzę do domu, Dolores jest już ubrana i zamierza wyjść. Nadstawia usta, całuję ją. Stoi jeszcze przez chwilę, a ja przeciągam dłonią wzdłuż jej pleców i bioder. Rzuca mi szybkie spojrzenie, zbiega po zboczu i dosiada Jozuego. Przyjemnie jest patrzeć, jak biegnie. Nie ma w tym praktycznie żadnego wysiłku: ona po prostu płynie, jakby unosiła się w powietrzu, nie dotykając stopami ziemi. Wracam do domu.

Tej nocy znów przychodzi. Na wszelki wypadek zostawiam na noc drzwi otwarte. Señor Ramos dostałby zawału, gdyby o tym wiedział. Budzę się, dopiero czując, jak Dolores wsuwa się pod koc. Zamyka mi usta pocałunkiem, a ja, rozespany, powracam z rozkosznym uczuciem do jawy. Potem coś sobie przypominam i odsuwam się od niej.

– Nie możemy, Dolores. Jest *Semana Santa*.

Patrzy na mnie w ciemnościach i przytula się do mnie mocno.

– To już nie ma znaczenia, Rubio.

Początkowo nie wiem, co ma na myśli, potem zaczynam rozumieć. Leżę nieruchomo, próbując to wszystko jakoś uporządkować. Skąd u mnie taka panika? Przecież właśnie tego pragnę. Dolores kładzie mi rękę na piersi. Potem unosi się na jednym łokciu i wodzi palcem wzdłuż mojego ramienia.

– Nie bój się, Rubio. Nie musisz się ze mną żenić.

Obejmuje mnie znów i wtula głowę w zagłębienie pod obojczykiem.

Wpatruję się przez chwilę w sufit, po czym pytam, z trudem wydobywając z siebie głos:

– Jesteś pewna, Dolores?

– Ja to wiem, Rubio. Będziemy mieli dziecko.

Jest tego absolutnie pewna, przekonana, szczęśliwa. Dlaczego ja nie jestem? Mam wrażenie, jakby zabrakło mi powietrza. Siadam na krawędzi łóżka.

Do diabła, co zrobimy z tym fantem? Nie chcę, żebyśmy się stali kolejną parą ofiar biologii. Dolores ma dopiero siedemnaście lat. Planowałem, że pojeździmy trochę po świecie, zanim osiądziemy gdzieś na stałe.

Wstaję. Dolores obserwuje mnie z łóżka. W jej spojrzeniu pojawia się smutek i lęk. Chcę powiedzieć coś, co byłoby na miejscu. Siadam na brzegu łóżka i głaszczę ją po głowie. Może się myli. Może była zdenerwowana i nastąpiło zatrzymanie miesiączki. Gerry przydarzyło się to kilka razy i za każdym razem moje nadzieje okazywały się płonne. Dolores zaczyna płakać. Jej szloch jest rozpaczliwy, bo stara się go wszelkimi siłami powstrzymać. Pochylam się nad nią.

– Wszystko będzie dobrze, kochanie. Nie płacz.

Głaszczę ją po głowie tak długo, aż zasypia. Kładę się obok niej, ale nie mogę spać. Myśli kłębią mi się w głowie. W końcu udaje mi się zdrzemnąć.

Kiedy się budzę, Dolores jest w łazience. Słyszę przez szum wody jak kaszle i krztusi się. Zrywam się, siadam na brzegu łóżka, dociera do mnie od nowa, co się stało. Kładę się z powrotem i przewracam na brzuch. Wełna, którą wypchany jest materac, wydziela mdłą woń. Dlaczego nie przydarzyło mi się coś takiego kilka lat temu! Wtedy podejrzewałem, że coś jest ze mną nie tak. Nawet pigułka nie daje stuprocentowej pewności. Gdyby Gerry dowiedziała się, że „wpędziłem" w ciążę młodziutką Hiszpankę, nie wybaczyłaby mi tego. To chyba największe draństwo, jakie taka męska szowinistyczna świnia jak ja mogła zrobić. Muszę znaleźć jakieś wyjście. To nie jest w porządku wobec Dolores. Nie mógłbym z tym żyć.

Rozdział XXI

Nazajutrz wczesnym rankiem zostawiam na lodówce liścik i jadę do miasta. Jem śniadanie w barze o nazwie Pogo, przyglądając się ludziom pijącym poranną kawę. Kiedy dopijam swoją, słońce jest już wysoko nad dachami. Płacę i wychodzę.

Kiedy po raz pierwszy znalazłem się w Hiszpanii, zatrzymałem się na parę dni w Torremolinos, żeby się trochę rozejrzeć w nowym otoczeniu. Poznałem tam niejakiego Wya Kerricka, Amerykanina, który siedział w Hiszpanii już od pół roku, i bardzo się z nim zaprzyjaźniłem. Wy miał domek tuż przy plaży; jak mi powiedział, próbował tam coś napisać i przemyśleć różne sprawy. Kiedy go poznałem, wciągnął go wir życia towarzyskiego i Wy na razie zarzucił swoje pisarskie projekty. Pomyślałem sobie, że może on mi coś doradzi.

Idę boczną drogą w stronę morza, a potem skręcam w wydeptaną w trawie ścieżkę. Otoczony eukaliptusami domek Kerricka jest mały, rozmiarów podwójnego garażu. Pukam i czekam na odzew. Słyszę jakieś szmery, więc pukam ponownie. Po chwili w drzwiach staje dziewczyna w podkoszulku i drelichowych spodniach. Zbiera w koński ogon swoje długie, jasne włosy, w ustach trzyma gumkę. Pyta mnie po angielsku, ale z silnym akcentem, kogo szukam.

– Czy zastałem Wya Kerricka?

Upłynął prawie rok; zaczynam podejrzewać, że Wy mógł się wyprowadzić. Ale dziewczyna mówi, oglądając się przez ramię.

– Oczywiście, że jest.

Rozpoznaję akcent jako szwedzki.

Prowadzi mnie do środka. Wy łowi pod łóżkiem swoje

buty. Jego opalenizna odbija się wyraźnie na tle zmiętej pościeli; stwierdzam, że trochę przytył. Patrzy na mnie z dołu.

– A niech to licho! Gdzieś ty się podziewał tyle czasu? – Zrywa się, ściska mi wylewnie dłoń i wali mnie w plecy. – Siadaj, bracie. Napijemy się.

Siada z powrotem na podłodze i wyciąga spod stolika przy łóżku butelkę brandy. Dziewczyna przynosi z kuchni trzy kieliszki.

– Ach, przepraszam, to jest Brigitte. Brigitte, poznaj mojego przyjaciela. Nie widzieliśmy się od roku.

Najwyraźniej zapomniał, jak mam na imię. Nieważne. Podaję rękę Brigitte.

– Mów mi Rubio.

Uśmiecha się lekko i podnosi kieliszek do ust.

Wy siedzi na krawędzi łóżka, trzymając oburącz kieliszek.

– No dobra, opowiadaj. Rzeczywiście osiadłeś na wzgórzach, tak jak planowałeś? Rozmawiałem o tym z ludźmi i nikt w to nie wierzy.

Pociąga brandy, przepłukuje nią usta, przełyka. Opisuję mu z grubsza to, czego dokonałem, opowiadam o domu i tak dalej, ale nie podaję dokładnej lokalizacji. Wy kiwa cały czas głową. Należy do facetów, którzy zawsze robią wrażenie, jakby uważnie człowieka słuchali, ale nie jestem pewien, czy rzeczywiście słucha. W końcu wstaje i podchodzi do okienka przy drzwiach.

– To właśnie powinienem był zrobić, zamiast marnować tutaj czas! – Dopija swoją brandy. – Cholera, przecież mogę to jeszcze zrobić! Zostały tam jakieś stare domy do kupienia? Mam jeszcze sporą sumkę na koncie. Poczciwa babunia! – Siada z powrotem na łóżku.

Kiwam głową.

– Owszem, jest jeszcze sporo takich domów na wzgórzach.

Mam cichą nadzieję, że nie będzie obstawał przy swoim pomyśle, choć z drugiej strony zanadto się tym nie przejmuję. Brigitte siada obok niego na brzegu łóżka. Gładzi go po plecach, potem obejmuje go za szyję i przytula się do niego. Nie wiem, jak wyłuszczyć mu sprawę, z którą przyszedłem.

– Czy moglibyśmy porozmawiać sam na sam? – pytam wreszcie.

Wy patrzy na Brigitte. Zaczyna gładzić ją po głowie, ale dziewczyna uchyla się.

– Nie zwracaj uwagi na Brigitte. Ona nie będzie słuchać. Nigdy nie słucha tego, co do niej mówię.

Brigitte całuje go w kark, bierze swój kieliszek i idzie do kuchni, oddzielonej od pokoju niskim przepierzeniem.

– Możecie sobie swobodnie rozmawiać. Mnie nie ma.

Nie mam wyjścia. Wy sięga do kieszeni koszuli wiszącej na oparciu krzesła i wyciąga papierosy. Częstuje mnie: zapalam po prawie rocznej przerwie i mówię mu, z czym przyszedłem. Wygląda na zaskoczonego.

– Szlag by to, naprawdę nie wiem! Wolę nie myśleć, co robią w takich wypadkach Hiszpanie. Gibraltar nie wchodzi chyba w rachubę.

Pociąga zdrowy haust, aż wykrzywia mu twarz. Potem opuszcza wzrok i starannie ustawia stopy w jednej linii z butami.

– Jeśli chcesz, popytam ludzi. Mam paru hiszpańskich przyjaciół, może oni coś wiedzą.

Mam wrażenie, że jest zdenerwowany. Zerka w stronę kuchni. Brigitte wchodzi do pokoju, ale nie siada.

– Mam niedaleko stąd przyjaciółkę, która też wpadła z jednym kelnerem. Znalazł jej kogoś w Maladze... Mogę ją zapytać.

– Kiedy?

Ma niezwykle jasne oczy; trudno w nie patrzeć, bo ma się wrażenie, jakby patrzyło się na oślepiająco biały śnieg.

– Wypij najpierw kawę, Rubio.

Uśmiecha się, spokojna, opanowana.

– Ona jeszcze i tak śpi.

Idzie do kuchni i wraca z filiżankami, spodkami, cukiernicą i dzbankiem kawy.

Pół godziny później podjeżdżamy pod biały, dwupiętrowy

145

budynek. Brigitte wchodzi, ja czekam w samochodzie. Po kilku minutach pojawia się na balkonie na pierwszym piętrze i macha do mnie ręką. Zamykam samochód i wspinam się po pogrążonych w mroku schodach. Drzwi się otwierają, wchodzę do mieszkania. Jakaś wysoka dziewczyna pierze coś nad zlewem przy oknie. Ma na sobie lekki szlafroczek, włosy nakręcone na wałki. Szlafrok jest nie zawiązany, widać pod nim czarne majtki i biały stanik. Dziewczyna zawiązuje pasek mokrymi rękami i wskazuje mi niskie wiklinowe krzesło. Siadam. Brigitte sadowi się w półleżącej pozycji na rozgrzebanym łóżku.

– Zaraz wracam.

Znów *swinglish*, szwedzka angielszczyzna. Dziewczyna wraca do prania majtek. Potem wyciera ręce o szlafrok.

– Jak tam u was, Brige? Wciąż napaleni?

Brigitte odpowiada coś po szwedzku i wydmuchuje dym w stronę sufitu. Śmieją się obie. Dziewczyna ogląda uprane majtki pod światło, wyżyma je i wychodzi na balkon. Na sznurku rozpiętym między prętami wiszą pończochy. Znajoma Brigitte wraca do pokoju, wypuszcza wodę ze zlewu, wyciera ręce i opada ciężko na drugie wiklinowe krzesło. Szlafrok znów się rozchyla, dziewczyna patrzy na mnie, zakłada nogę na nogę i otula się szczelniej jego połami.

– Papierosa?

Podnoszę ręce do góry. Dziewczyna wstaje, wyjmuje z szuflady szafki nocnej nową paczkę, otwiera ją i wysuwa jednego papierosa. Kręcę odmownie głową. Dziewczyny odpalają od niedopałka papierosa Brigitte.

– A więc masz kłopoty. Chodzi o Hiszpankę?

Ma na wargach błyszczyk lub bezbarwną pomadkę. Kiwam głową.

– O Hiszpankę.

– To dobrze. Może nie będzie takiego szoku. – Zaciąga się głęboko i cmoka z namysłem. – Ten facet to Hiszpan i nie sądzę, żeby był lekarzem. Mówi, że nie mógł dostać licencji, bo był podczas wojny po niewłaściwej stronie. Nie wiem, czy to prawda. – Znów się zaciąga. – Bałam się, ale wszystko poszło dobrze. Będzie to kosztować sześć tysięcy peset.

Ja musiałam napisać po forsę do domu i mój staruszek strasznie się wściekł.

– Jak mogę się z nim skontaktować?

Zmienia pozycję, zakładając teraz lewą nogę na prawą. Szlafrok znów się rozchyla, więc zbiera go pod szyją wolną ręką i wstaje.

– Mam gdzieś jego adres.

Przyklęka i wyciąga spod łóżka kartonowe pudło. Wyławia z samego dna ściągnięte gumką pudełko po cygarach. W środku są listy; wertuje je szybko.

– O, jest. Widzisz, Brigitte, jestem bardzo dobrze zorganizowana.

Podaje mi niebieską kopertę z wypisanym ołówkiem adresem. Wsuwam ją do kieszeni.

– O, nie. Przepisz sobie adres. Masz tu ołówek.

Wyjmuje z pudełka ogryzek ołówka i wręcza mi go. Przepisuję adres i przy okazji dowiaduję się, jak się przyjaciółka Brigitte nazywa. Oddaję jej kopertę i ołówek, chowa je z powrotem do pudełka.

– Myślę, że nie macie nic przeciwko temu, żebym spróbował od razu... – Wstaję. – Jestem naprawdę wdzięczny. Nie miałem pojęcia, od czego zacząć.

Wzrusza ramionami i też wstaje.

– Miło poznać faceta, który chce pomóc dziewczynie. Zwykle po prostu dają nogę, zwłaszcza kiedy chodzi o hiszpańskie dziewczęta. Mam nadzieję, że wszystko się dobrze skończy.

Brigitte nie wstaje. Zmienia tylko pozycję.

– Jedź sam. Ja zostanę i wypiję jeszcze jedną kawę.

– Tobie też dziękuję, Brigitte. Pożegnaj ode mnie Wya. Odwiedzę go jeszcze przy innej okazji.

Przewraca się z powrotem na plecy.

– Życzę powodzenia. To musi być straszne dla tych biednych Hiszpanek.

Do Malagi docieram w pół godziny. Jadę pod wskazany adres; piętrowy dom stoi przy ocienionej drzewami ulicy na przedmieściach. Prowadzi do niego wyżwirowana ścieżka. Dopiero po trzecim czy czwartym dzwonku otwiera mi kobieta w fartuchu.

– Przepraszam, señora. Ja do pana Segury.

Prowadzi mnie do niewielkiego holu i wskazuje mi krzesło. Siadam, kobieta wychodzi. Wpatruję się w układ płytek na podłodze. Mam dziwne wrażenie, że jestem obserwowany. Po chwili wchodzi jakiś mężczyzna. Znów pytam o pana Segurę.

– A jaką ma pan sprawę do señora Segury?

– Mam pewien problem i znajoma powiedziała mi, że señor Segura może mi pomóc.

– Czy może mi pan podać nazwisko pańskiej znajomej, señor?

Spodziewałem się, że tak to będzie wyglądało. Podaję mu nazwisko. Z lekkim ukłonem zaprasza mnie, żebym usiadł. Wraca dopiero po jakichś pięciu minutach. Prowadzi mnie przez hol do małego gabinetu i tam mnie zostawia.

Pokój pachnie starą skórą, którą pokryte są fotele. Przy oknie stoi wielkie dębowe biurko. Wchodzi niski człowieczek w okularach w złotej oprawce i z rzadkim, siwym wąsikiem. Wita mnie skinieniem głowy, siada w obrotowym krześle za biurkiem i zaplata ręce.

– Nazywam się Segura. Czym mogę panu służyć, señor?

Wygląda jak francuski urzędnik pocztowy.

– Mam przyjaciółkę, która potrzebuje pomocy.

Przesuwa dłonią wzdłuż brzegu biurka.

– Od jak dawna jest w tym stanie?

Mówię mu; Segura patrzy w ścianę ponad moją głową.

– Powinna zgłosić się w ciągu trzech tygodni na badanie. – Wertuje stojący na biurku kalendarz. – Powiedzmy w czwartek o ósmej.

Spogląda na mnie. Kiwam głową.

– Czy to cudzoziemka, señor?

Kiedy mu mówię, że Hiszpanka, kiwa głową. Jego usta rozciągają się w cienką kreskę pod wąsami.

– Honorarium wyniesie osiem tysięcy peset, połowa płatna z góry.

Nie jestem w nastroju, żeby się targować. Zgadzam się na warunki i obiecuję zapłacić drugą ratę w ciągu tygodnia. Dolores będzie mogła ją przynieść, kiedy przyjedzie na zabieg. Jeśli się oczywiście zdecyduje.

Segura uśmiecha się i wstaje. Ma drobne, chłodne dłonie. Trafiam jakoś do wyjścia. Czuję się, jakbym zabłądził do jakiegoś sennego koszmaru z *Alicji w krainie czarów*. Mam nadzieję, że Dolores nie pozwoli, żeby ten człowiek dotykał jej swoimi zimnymi rękami.

Wstępuję do banku i kabluję do Stanów po cztery tysiące dolarów; kończą mi się pieniądze. Sprawdzam też na poste restante, czy nie ma jakiejś poczty. Okazuje się, że jest list od mojej matki, kilka wyciągów z Bank of America i list od Gerry. Nazwisko na kopercie jest zmienione, ale papeteria ta sama.

W samochodzie czytam najpierw list od matki. Dowiaduję się, że moja siostra spodziewa się kolejnego dziecka. Ciotka Anne jest chora, a ojciec znów pracuje na nocną zmianę. I najważniejsze pytanie: kiedy wracam? Wsuwam z powrotem list do koperty i wkładam do kieszonki koszuli.

Otwieram list od Gerry. Zaadresowany jest na maszynie, ale napisany odręcznie. Gerry pisze wyraźnie, ma ładny charakter pisma. Zawiadamia mnie, że aranżują otoczenie domu, kupionego w pobliżu Berkeley, gdzie jej mąż wykłada. Gerry jest w ciąży, urodzi na początku września. Całusy, Gerry.

Wkładam list do kieszeni, razem z tym od matki. Nasze dzieci urodziłyby się prawdopodobnie mniej więcej w tym samym czasie. Boże, jak to życie dziwnie się układa! Rzucam wyciągi bankowe na siedzenie i zapuszczam silnik.

Kiedy docieram do domu, Dolores jeszcze tam jest. Pada mi w ramiona i przytula się do mnie mocno. Drży na całym ciele.

– Tak się martwiłam, Rubio. Znalazłam twój liścik dopiero po śniadaniu.

Mówię jej, że byłem w Maladze, żeby odebrać korespondencję i załatwić sprawy w banku. O innym celu mojej podróży powiem jej później, kiedy będzie mniej przygnębiona. Chciałbym, żeby jej decyzja była gruntownie przemyślana.

– Nie wiedziałam, gdzie jesteś, i strasznie się bałam, Rubio. – Jej zaplecione na mojej szyi ręce ześlizgują się i natrafiają na listy w kieszonce. – Od kogo te listy, Rubio?

Przeciąga palcami po brzegu wystającej koperty. Nie wiem, czemu wolałbym jej nie odpowiadać, ale jednocześnie zdaję sobie sprawę z tego, że muszę.

– Jeden jest od matki, a drugi od mojej byłej żony. Ona też spodziewa się dziecka, Dolores. Są oboje z mężem bardzo szczęśliwi.

– Nie wiedziałam, że ona wyszła powtórnie za mąż. Nie mówiłeś mi tego.

Nie wiem, czemu denerwuje mnie zainteresowanie Dolores dzieckiem Gerry. To chyba coś całkiem naturalnego.

Dolores pięknie nakrywa stół do kolacji, ale zapowiada, że dziś musi wyjść wcześniej. Nie pytam dlaczego, ona sama też nie wyjaśnia. Idę po Jozuego i przyprowadzam go pod dom. Pomagam Dolores dosiąść osiołka. Dostrzegam w jej oczach smutek. Czuję się nieswojo. Powinienem ją zatrzymać i powiedzieć wszystko, ale coś mnie powstrzymuje. Macham jej ręką do chwili, kiedy znika za zakrętem. Wchodzę do domu i rozbieram się powoli. Wiem, że coś jest nie tak, ale nie bardzo wiem co. Biorę prysznic.

Rozdział XXII

Rano mam dziwne wrażenie, jakbyśmy oboje na coś czekali. Obserwujemy się wzajemnie. Próbuję nawiązać rozmowę, ale bez powodzenia. Nie mogę się przemóc, żeby powiedzieć to, co musi być powiedziane, a ona bynajmniej mi nie pomaga. Podczas lunchu prawie nie rozmawiamy. Kiedy Dolores sprząta ze stołu i idzie do kuchni, idę za nią i przytulam ją. Bez słowa obejmuje mnie za szyję. Biorę ją na ręce i zanoszę do sypialni. Płacze, a ja siedzę obok niej i nie wiem, co mam zrobić czy powiedzieć. Bywają takie sytuacje, że dosłownie mnie muruje. Może Gerry miała rację, twierdząc, że nie potrafię manifestować swoich uczuć. Wiem, co chcę powiedzieć, ale nie przechodzi mi to przez gardło.

– Ja nie chcę odchodzić, Rubio.

– Wszystko będzie dobrze, Dolores, nie musisz nigdzie odchodzić. Zostaniesz ze mną.

Kładę się obok niej, przywiera do mnie. Całuję ją, ale nie odwzajemnia pocałunku. Czuję się podle. Leżymy tak godzinami, nie odzywając się słowem; słońce przesuwa się za kolejnymi oknami. Ilekroć się poruszę, Dolores przytula się mocniej. To właściwie najlepsza okazja, żeby z nią porozmawiać, ale ja milczę.

Kolejne dni są trudne do zniesienia. Dolores przychodzi rano, blada jak gipsowa figura, z której starła się pozłotka. Nie wiem, jak utrzymuje wszystko w tajemnicy przed matką. W dalszym ciągu nie rozmawiamy zbyt wiele. Właściwie wygląda to tak, jakby była po prostu gosposią, która u mnie sprząta.

Kilka dni później kończę budować podjazd. Atmosfera jest tak gęsta, że można ją krajać nożem. Dolores snuje się po domu, zamiata, myje podłogę w kuchni, przygotowuje lunch. W pewnej chwili uświadamiam sobie, że nie słyszę jej od dłuższego czasu.

Wbiegam do domu. Dolores leży na łóżku z twarzą ukrytą w poduszce. Płacze rozdzierająco, więc siadam obok niej i kładę jej rękę na głowie.

– Nie płacz, proszę cię, Dolores.

Odwraca się w moją stronę i patrzy na mnie. Pochylam się i całuję ją; twarz i poduszka są mokre od łez. Przyciąga mnie do siebie obiema rękami.

– Nic nie jest dla mnie ważne, Rubio, bylebym tylko mogła być z tobą. Nie odchodź ode mnie, proszę.

Całuje mnie delikatnie, potem się kochamy. Wszystko jest tak jak na początku i nabieram znów otuchy.

Następnego dnia jadę do Malagi, żeby poczynić ostateczne przygotowania. Postanawiam, że powiem Dolores o wszystkim po powrocie, kiedy pozałatwiam sprawy do końca. Mam nadzieję, że nie uzna mnie za bezwzględnego drania. Jeśli nie będzie chciała, nie będzie się musiała decydować na ten krok, ale przynajmniej dam jej możliwość wyboru. Nie chcę, żeby myślała, że musi wyjść za mnie za mąż.

Czuję się dziwnie, dając tyle pieniędzy i nie otrzymując nawet żadnego pokwitowania. Jest dwunasty lutego; za dwa dni rocznica mojego przyjazdu do Hiszpanii. Myślę sobie, że gdybym powiedział to jej rodzicom, moglibyśmy ją uczcić razem. Strasznie mi żal Antonia, który kompletnie się załamał.

Robię zakupy i około południa postanawiam wracać. Nie mogę się doczekać, kiedy będę w domu. Nawet w tej okropnej sytuacji bardzo brakuje mi Dolores, kiedy gdziekolwiek wyjeżdżam. Będzie cudownie, jak będzie już mogła zostać ze mną na stałe. Dochodzę do wniosku, że w końcu wszystko ułoży się pomyślnie.

Wysiadam z samochodu i wołam Dolores, ale nie słyszę odpowiedzi. Nie widzę też nigdzie Jozuego. Dolores nie ma ani w ogrodzie, ani przy pompie. Domyślam się, że pojechała do miasta albo wybrała się na przejażdżkę po okolicy. Czasami robiła takie wypady. Wchodzę do domu i nawołuję ją znowu. Cisza. Siadam na kanapie przy oknie, potem wstaję i idę do kuchni. Jestem głodny. Robię parę kanapek z serem i z musztardą i otwieram butelkę piwa. Stół jest nakryty do lunchu.

Siadam znów na kanapie pod oknem, opierając nogę na brzegu dużej donicy. Czuję się śmiertelnie zmęczony i dziwnie zagubiony. Boże, jak ja nienawidzę takich typków jak ten Segura! Przenika mnie zimny dreszcz, kiedy myślę o tym, jak stoi nad Dolores z jakimś okropnym instrumentem chirurgicznym. Nie mogę się pozbyć tych myśli, mimo świadomości, że prawdopodobnie nic takiego się nie zdarzy. Jestem tak przybity, że nie panuję nad swoją wyobraźnią. Muszę iść do toalety, ale długo z tym zwlekam; pieszczota promieni zimowego słońca sprawia, że ogarnia mnie błoga senność... Zasypiam, sam nie wiem, na jak długo.

W końcu wstaję i idę do łazienki, ale drzwi są zamknięte od wewnątrz. Nie wiem, co o tym myśleć, potem nagle ogarnia mnie panika. Przypadam do drzwi i wołam jej imię. Żadnej odpowiedzi! Pukam, krzyczę, nasłuchuję – nic. Uderzam z całej siły barkiem, zamek puszcza. O mało się nie przewracam, wpadając do środka.

Dolores leży na podłodze. Ma na sobie tylko biały sweter i pantofle. Jest woskowożółta, umazana krwią. Kamienieję na ułamek sekundy. W umywalce jest pełno krwi, krew kapie ze zwieszonego ręcznika. Na ścianach brunatne plamy. Wykrzykując jej imię, osuwam się na kolana. Na podłodze leży zagięty na końcu kawałek drutu.

Nie mogę oddychać, czuję się tak, jakbym miał w gardle kłąb waty. Podnoszę ją. Jest zimna. Niosę ją do pokoju, kładę na łóżku i zdejmuję jej pantofle. Są nasiąknięte krwią. Nie mogę wyczuć, czy oddycha. Wciąż krwawi. Biegnę z powrotem do łazienki, żeby wziąć więcej ręczników. Usiłuję nimi zatamować krwotok i związać jej nogi paskiem.

Próbuję też wyczuć tętno, ale bez skutku. Z jej piersi wydobywa się westchnienie, potem cichy jęk. Niezdarnie obmywam ją mokrym ręcznikiem; włosy ma sztywne od zakrzepłej krwi. Przykrywam ją kocem i podpieram cegłami jeden koniec łóżka, starając się powstrzymać krwawienie. Nic nie pomaga! Wpadam w panikę. Nie wiem, czy jeszcze oddycha.

Zmieniam ręcznik, owijam ją kocem i biorę znów na ręce. Muszę coś zrobić! Materace przesiąkły krwią na wylot. Najbliżej jest do lekarza w Torremolinos. Kładę ją w samochodzie na przednim siedzeniu i opuszczam łóżko w przyczepie. Kiedy ją tam zanoszę, otwiera oczy. Usiłuje coś powiedzieć. Nachylam się nad nią. Jej głos jest nikły jak szmer strumyka.

– Nie będę miała dziecka, Rubio.

Uśmiecha się blado, pomiędzy wargami bieleją matowo zęby. Znów zamyka oczy. Jestem bliski obłędu. To nie może być prawda!

Jadę tak szybko, jak mogę, nie narażając jej na wstrząsy. W mieście rozglądam się na wszystkie strony, ale nie widzę żadnego szpitala ani tabliczki z nazwiskiem lekarza. Trwa to całą wieczność. Prawdziwy koszmar! W końcu docieram do niewielkiej kliniki przy głównej ulicy. Wyskakuję z samochodu i biorę Dolores na ręce.

Mała poczekalnia jest pusta. Wołam lekarza; z bocznych drzwi wygląda jakiś człowiek w białym fartuchu. Przeciskam się obok niego i kładę Dolores na kozetce pod oknem. Ma otwarte oczy, ale nie patrzy na mnie. Lekarz odsuwa mnie na bok i próbuje wyczuć tętno. Wyciąga z kieszeni fartucha stetoskop i pochyla się nad Dolores. Patrzę, czekam, chcę, żeby wreszcie coś zrobił! Po dłuższej chwili prostuje się i zamyka jej kciukiem powieki.

Dzwoni mi w uszach, opadam na krzesło. Wykręcam głowę, bo bije mi w nozdrza ostra woń amoniaku. Bolesny skurcz ściska mi żołądek, dostaję potwornej czkawki. Nie mogę przestać. Lekarz przygina mi kark, wpychając głowę między kolana, i po chwili odzyskuję oddech. Te wszystkie reakcje przychodzą falami, nie mogę nad nimi zapanować. Nie wiem, ile czasu upłynęło, zanim dotarło do mnie to, co mówi lekarz. Zupełnie jakbym zapomniał hiszpańskiego. Zaczynam płakać i to trochę pomaga.

– Słyszy mnie pan, señor? Czy może mi pan powiedzieć, co się stało?

Nie mogę wydobyć słowa. Kiwam głową.

– Musimy sporządzić świadectwo zgonu dla władz. Czy mówi pan po hiszpańsku?

Znów kiwam głową. Lekarz wyjmuje z szuflady biurka czarny notes z gotowymi formularzami.

– Przede wszystkim jak pana godność?

Podaję mu imię i nazwisko.

– Jak nazywa się zmarła?

Nie mogę w to uwierzyć. To nie może być prawda.

– Dolores. Dolores Ramos.

– Czy może pan podać jej wiek?

– Siedemnaście lat, nie, osiemnaście.

Musiała mieć urodziny w ciągu tego roku, choć nic mi o tym nie powiedziała.

– Czy zmarła ma jakąś rodzinę? Kogo powinniśmy zawiadomić, señor?

Podaję mu nazwisko i adres. Nie mam pojęcia, jak ja im zdołam to powiedzieć.

– Ja zawiadomię rodzinę. Zawiadomię ich. I zawiozę ją do domu.

– A teraz proszę mi powiedzieć, co się właściwie stało.

Próbuję wziąć się w garść.

– Zmarła pracowała u mnie. Kiedy wróciłem do domu z Malagi, była zamknięta w łazience. Wyłamałem drzwi i zastałem ją leżącą na podłodze. Wygląda na to, że potknęła się i przewróciła, wychodząc spod prysznica.

Nie podnoszę wzroku. Słyszę skrzyp jego pióra. Pisze bez słowa, potem wstaje i podchodzi do ciała Dolores. Nie patrzę w tamtą stronę; nie mogę się przemóc. Lekarz wraca za biurko.

– Czy nie podejrzewa pan, że mogła być... Czy nie było żadnych oznak, że mogła... dokonać samookaleczenia?

Próbuję zachować spokój. Patrzę mu w oczy.

– Nie zauważyłem nic takiego, señor. Jestem pewien, że to nieszczęśliwy wypadek.

Przygryza czubek pióra i kołysze się lekko na krześle.

– W takich przypadkach jak ten powinno być przeprowadzone dochodzenie, señor.

Czeka na moją odpowiedź. Przypatruje się swoim dłoniom. Potem zaczyna kreślić kółeczka na bibule.

– Byłoby najlepiej, gdybym napisał tylko tyle, że zmarła w wyniku krwotoku tu, w moim gabinecie.

Spogląda na mnie, nie podnosząc głowy. Czuję ulgę i jednocześnie kręci mi się w głowie. Po dłuższej pauzie sięgam po portfel. Następuje jeszcze dłuższa pauza; za oknem słychać odgłosy ruchu ulicznego.

– Ile jestem winien, panie doktorze?

– Jako lekarz niewiele mogłem zrobić, señor.

Zastanawiam się, co ma na myśli; jestem jak sparaliżowany. W końcu wyjmuję cztery tysiące peset, które zamierzałem dać Dolores. Kładę banknoty na biurku. Bierze je po jednym i wsuwa do swojego portfela. Potem sięga po kwitariusz i wypisuje mi pokwitowanie na cztery tysiące peset. Poruszam się jak automat, mam wrażenie, jakbym słuchał tego, co mówię, i patrzył na siebie z zewnątrz. To wszystko jest jak sen, zawiły i splątany senny koszmar.

– Może pan przyjść do kostnicy po południu, koło piątej. Sporządzę świadectwo zgonu dla władz.

Wstaje; żaden z nas nie wyciąga ręki. Lekarz skłania się lekko i otwiera drzwi. Wychodzę na ulicę. Drzwi przyczepy są otwarte, zamykam je i blokuję. Dochodzi trzecia, zimowe słońce świeci tuż nad płaskimi dachami domów. Idę do baru Central. Siadam w najdalszym kącie ciemnej salki; próbuję o niczym nie myśleć. Zamawiam pernod, ale nie wytrzymuję – zostawiam na stoliku pieniądze i wychodzę, zanim jeszcze pojawi się kelner.

Idę przez miasto w stronę plaży, a potem po mokrym piasku wzdłuż brzegu. Wciąż nie mogę uwierzyć, że ona nie żyje. Myślę o tym, ale nie mogę w to uwierzyć. Cofam się poza zasięg fal i kładę się na wciąż ciepłym piasku. Przesypuję piasek między palcami. Leżę tak, aż zaczyna przenikać mnie chłód, wreszcie wracam do miasta.

Lekarz czeka na mnie w progu kostnicy; żaluzje są opuszczone. Dolores leży owinięta w prześcieradło, twarz ma zakrytą. Przenosimy ją obaj do samochodu. Lekarz zaciera ręce, cały czas patrzy w dół. W końcu wyciąga z kieszeni marynarki jakiś papier.

– To jest świadectwo zgonu, señor. Da pan to księdzu w miasteczku.

Wkładam świadectwo do kieszeni, w której mam już pokwitowanie. Lekarz stoi i patrzy, jak zaciągam zasłonki w przyczepie. Wsiadam, przekręcam kluczyk i ostrożnie ruszam w stronę autostrady.

Nie opuszcza mnie wrażenie, że Dolores żyje, i przez całą drogę do domu oglądam się za siebie. Zbiera mi się na płacz, zjeżdżam dwukrotnie na pobocze, ale nie mogę płakać. W końcu docieram do miasteczka i zatrzymuję się przed zakładem fryzjerskim.

Señor Ramos jest sam, czyta gazetę. Starannie zamykam za sobą drzwi. Don Carlos wyciąga do mnie z uśmiechem rękę.

– Miło pana widzieć, señor Rubio. Myślę, że przydałoby się strzyżenie.

Patrzę na niego; jak mu przekazać straszną nowinę? Jego twarz się zmienia.

– Coś nie w porządku, señor? Co się stało?

Chwyta mnie za ramię i mocno ściska.

– Dolores miała poważny wypadek, señor Ramos.

Jego palce zaciskają się na moim ramieniu. Twarz robi się nagle biała jak papier.

– Czy to coś poważnego? Gdzie ona jest, señor?

Nie czeka na odpowiedź.

– Przewróciła się w łazience i dostała krwotoku, señor Ramos. Zawiozłem ją do lekarza w Torremolinos.

Błyskawicznie porywa kapelusz i marynarkę z wieszaka.

– Gdzie ona jest? Chcę ją zobaczyć! Gdzie ona jest?

– W samochodzie, señor Ramos.

Przemyka obok mnie, zanim zdołam go powstrzymać. Chwytam go za ramię i odwracam do siebie.

– Ona nie żyje, señor Ramos. Zmarła w gabinecie lekarza. Nic nie dało się zrobić.

Patrzy na mnie, marynarka zsuwa mu się z ramienia. Sadzam go na krześle, na którym leży gazeta. I wtedy z jego piersi wydobywa się rozdzierający krzyk.

– Chryste, nie, nie Dolores! Matko Boska Przenajświętsza!

Blednie śmiertelnie, jest aż zielonkawy na twarzy. Muszę go przytrzymać, żeby nie zsunął się z krzesła. Kapelusz spada na ziemię. Wszystko to jest straszne; zupełnie nie wiem, co robić. Przekręcam wywieszkę na drzwiach i gaszę światło. Boję się, żeby nie zemdlał. Zwilżam ręcznik i przykładam mu do czoła. Długo siedzimy w półmroku. W pewnej chwili widzę w lustrze szarobiałą twarz – z trudem rozpoznaję samego siebie.

W końcu pan Ramos uspokaja się na tyle, że może mówić. Płacze cicho.

– Gdzie ona jest, señor Rubio? – pyta ledwie dosłyszalnie. – Chcę ją zobaczyć.

Obejmuję go ramieniem i prowadzę do samochodu. Otwieram boczne drzwi przyczepy. Pan Ramos pochyla się, trzęsą mu się ręce. Podnoszę róg prześcieradła. Jedno oko Dolores jest otwarte i wpatruje się w nas uparcie. Pan Ramos wciąga spazmatycznie powietrze i odskakuje do tyłu. Podtrzymuję go jedną ręką, drugą próbuję zamknąć powiekę. Jest zimno i oko wciąż się otwiera. Zakrywam z powrotem twarz prześcieradłem i zamykam drzwi. Ktoś nadchodzi ulicą. Pomagam panu Ramosowi wsiąść do kabiny, potem wsiadam sam i ruszam.

Podjeżdżam do ich domu najbliżej, jak się da. Otwieram drzwi panu Ramosowi. Jest w samej koszuli, bez krawata, bez marynarki, bez kapelusza. Podniosłem wprawdzie marynarkę z ziemi, ale potem o niej zapomniałem i została w zakładzie.

Mówi, że chyba nie dojdzie do domu o własnych siłach. Otwieram boczne drzwi i biorę Dolores na ręce. Doznaję wstrząsu, tak zimne jest jej owinięte prześcieradłem ciało. Zatrzaskuję nogą drzwi samochodu i idę w stronę domu. Jest otwarte, więc wchodzę.

Rozdział XXIII

Kiedy wychodzę z domu Ramosów, jest prawie całkiem ciemno. Jestem odrętwiały i zlany zimnym potem. Kiedy wszedłem z ciałem Dolores, señora Ramos krzyknęła przeraźliwie, porwała córkę na ręce i zaczęła krążyć po pokoju jak w jakimś obłędnym transie. Potem skierowała się ku wąskim schodkom, zawróciła i osunęła się zemdlona na podłogę. Prześcieradło całkiem się odwinęło. Podniosłem Dolores z ziemi, a tymczasem señor Ramos padł na kolana obok żony i zaczął krzyczeć, że i ona umarła. Wydawało się, że to wszystko jest zbyt nieprawdopodobne, zbyt straszne, żeby było prawdziwe.

Tia nie mogła zrozumieć, co się dzieje; oto ja nie chcę się z nią bawić, a jej rodzice zachowują się bardzo dziwnie. W końcu zaczęła płakać, że chce do mamy. Jedyne, co mogłem zrobić, to wziąć ją na ręce i nosić, aż zmęczona płaczem usnęła.

Kiedy señora Ramos ocknęła się z omdlenia, wybuchnęła od nowa płaczem i miałem wrażenie, że nigdy się nie uspokoi. I wtedy stało się coś dziwnego: nagle przestała płakać i od tej chwili zachowywała się tak, jakby nas nie było. Oczy miała szeroko otwarte, zaczęła chodzić od okna do okna i zamykać okiennice. Kiedy próbowaliśmy do niej coś powiedzieć, przykładała palec do ust. Zapaliła świece i postawiła je w czterech rogach stołu, na którym położyłem Dolores. Siedzieliśmy w półmroku, señor Ramos płakał i patrzył na mnie, jakby błagał mnie o pomoc.

Wreszcie zapytał, co się właściwie stało; opowiedziałem mu to samo co lekarzowi. Nie miało to teraz żadnego znaczenia, Dolores nie żyła, nie żyło też nasze dziecko. Pokazałem mu zaświadczenie, które dał mi lekarz, i powiedziałem, że przekażę je księdzu. Byłem odrętwiały, zmrożony wewnętrznie.

W samochodzie mam problemy nawet z włożeniem kluczyka do stacyjki. Jakoś docieram do domu i stwierdzam, że drzwi od frontu są nadal otwarte. Wyglądam przez okno w dużym pokoju. Boję się wejść do łazienki. Pali się tam światło, drzwi są też uchylone.

Kiedy wreszcie wchodzę, jestem bliski kompletnego załamania, ale wiem, że prędzej czy później będę musiał to zrobić. Szumi mi w uszach, czuję się tak, jakbym miał lada chwila zemdleć. Oddycham głęboko, żeby przezwyciężyć słabość.

Plamy krwi na ścianach przybrały brunatny kolor, tylko ta w umywalce pozostała czerwona. Spłukuję ją i za pomocą zagiętego drutu wyciągam zatyczkę z otworu odpływowego. Wkładam do umywalki ręcznik i trąc z całej siły, myję ją zimną wodą. Potem biorę papierowe ręczniki i wycieram ściany i podłogę. Wrzucam papier do muszli i spuszczam wodę. Powtarzam całą operację. Wycieram czerwoną obwódkę w muszli i jeszcze raz ją spłukuję.

Płuczę i wyżymam ręcznik tak długo, aż woda jest czysta. Jeszcze raz czyszczę wszystko i spłukuję. Plamy nie dają się usunąć bez śladu, ale na pierwszy rzut oka wszystko jest białe. Biorę drut, ręcznik, gaszę światło i przechodzę do dużego pokoju.

Jest już całkiem ciemno. Wychodzę kuchennymi drzwiami, idę w stronę zbiornika i wrzucam drut do rury kanalizacyjnej. Wieszam ręcznik na sznurze, którego Dolores nigdy nie wykorzystywała. Upierała się zawsze, żeby rozwieszać pranie na krzakach lub rozkładać na trawie. Twierdziła, że dzięki temu bielizna będzie bielsza.

Wracam do łazienki. Zostały tu jeszcze zakrwawione ręczniki. Nie mam siły ich zbierać, chciałbym, żeby ten koszmar się skończył. Wynoszę je na zewnątrz. Przewracam materace na drugą stronę i zmieniam pościel. Jest ciepła, lutowa, bezksiężycowa noc. Rozbieram się i kładę do łóżka. Nawet leżąc z otwartymi oczami, nie mogę się pozbyć natrętnych obrazów. Przewracam się na bok i odrzucam koc. Jest mi gorąco, nie do wytrzymania.

Wiem, że powinienem był wszystko przewidzieć. Ale ja nigdy nie wyczuwam, co ludzie zamierzają zrobić. To jakiś wrodzony defekt; nie potrafię czytać w myślach i uczuciach innych; docierają do mnie tylko słowa.

W końcu się rozwidnia. Jestem zmęczony i lepki od brudu. Biorę prysznic i wracam do sypialni. Przekładam portfel i zawartość kieszeni do czystego ubrania. Świadectwo zgonu razem z pokwitowaniem tkwi nadal w kieszonce koszuli. Przebieram się, żeby pójść do księdza. Zaraz za progiem natykam się na Jozuego, który kręci się, nie uwiązany, wokół domu. Dosiadam go i ruszam w stronę drogi.

Słońce przygrzewa. Zamykam oczy i wdycham zapachy oślej sierści, ziemi, zarośli. Przy kościelnym murze puszczam Jozuego na trawę; wiem, że nie odejdzie daleko.

W kościele panuje nastrój czuwania. Wysokie sklepienie bez łuków, grube kolumny i przyćmione światło w nawach. Od kamiennej posadzki ciągnie chłodem. Stoję w głębi, usiłując się przyzwyczaić do panującego tu mroku; moje nagrzane słońcem ubranie oddaje ciepło. Jakaś bosa kobiecina z koszykiem przemyka koło ołtarza. Idę za nią główną nawą do wyjścia.

Już na zewnątrz, w pełnym słońcu, wskazuje mi dom przy drodze prowadzącej do miasteczka, tam gdzie zaczyna się bruk. Kiedy ruszam w tamtą stronę, z domu księdza wychodzi jakiś mężczyzna. To Vincenti. On mnie nie zauważa.

Podchodzę do domu i pociągam za sznur przy drzwiach; w środku rozlega się brzęk dzwonka. Po chwili otwiera mi stara kobieta i prowadzi mnie na zalane żółtym światłem, wybrukowane cegłami patio. Każe mi czekać i odchodzi, nie pytając, w jakiej przyszedłem sprawie. Siadam na drewnianej ławeczce pod ścianą i przyglądam się ptakom kąpiącym się w suchym piasku. Skrzypią drewniane schody prowadzące na galeryjkę i po chwili pojawia się ksiądz. Ma na sobie wyrudziałą czarną sutannę. Idzie energicznym krokiem przez patio, u pasa kołysze się różaniec i ciężki krucyfiks. W jaskrawym świetle ksiądz wydaje mi się drobny i szczupły, jakby zasuszony.

Wręczam mu świadectwo zgonu. Odsuwa je od oczu na długość ramienia i nastawia ku słońcu. Nie ma tam wiele do czytania, ale długo wpatruje się w dokument. W końcu składa go na pół sztywnymi, cienkimi palcami.

– Przepraszam pana, señor. Co to za lekarz? Nie znam tego nazwiska.

– To lekarz z kliniki w Torremolinos, proszę księdza. Zawiozłem tam Dolores Ramos po wypadku.

Długo patrzy na patio, jakby rzeczywiście było tam coś do oglądania.

– Ludzie w miasteczku dużo mówią na temat tej śmierci, señor.

Patrzy na świadectwo i obraca je w palcach. Vincenti zrobił swoje.

– Przeprowadzono dochodzenie, proszę księdza. To był nieszczęśliwy wypadek.

Stoi nieruchomo, czarna sylwetka w słońcu. Składa dłonie, zamykając w nich dokument, i dotyka warg czubkami palców.

– Owszem, señor, ale jeśli są jakiekolwiek wątpliwości, nie mogę pozwolić na pochowanie zmarłej na poświęconej ziemi. Nie możemy postępować wbrew kościelnej tradycji. – Milknie i długo patrzy mi z uśmiechem prosto w oczy. – Jeśli już teraz gadają, to później będzie tego gadania jeszcze więcej. Wiem, co mówię, bo mam doświadczenie w tym względzie. To nie jest Torremolinos, señor. To małe miasteczko. – Odwraca wzrok i znów wpatruje się w ścianę. – Będę musiał poprosić o powtórne dochodzenie, zanim pochowam zmarłą, señor. – Wyciąga z fałd sutanny płaski złoty zegarek. – A teraz muszę już iść, señor. Mam chrzest o jedenastej. Po południu odwiedzę państwa Ramos.

Skłania lekko głowę, odwraca się i odchodzi. Stara kobieta odprowadza mnie do wielkich, zaryglowanych drzwi frontowych.

Późnym popołudniem idę do domu Ramosów. Otwiera mi don Carlos i od razu pada mi w objęcia, jakby był dziewczyną. Ma na sobie odświętne, czarne ubranie, zaciął się w policzek przy goleniu. Z trudem wydobywa z siebie słowa.

– Jakby jeszcze było mało tego, że nie żyje, señor Rubio –
mówi, kiedy streszczam mu rozmowę z księdzem.
Sadzam go na krześle. Wyciąga z kieszeni mokrą chusteczkę. Mnie ją w rękach, potem zaczyna potrząsać palcem. Głos mu się łamie.
– To sprawka Vincentiego, wiem. Zabiję go, señor.
Znów zaczyna płakać. Nie mówię mu, co widziałem na
plebanii; to na pewno mu nie pomoże.
– Powinniśmy ją po prostu pochować; ziemia jest wszędzie taka sama. Ale Maria nie chce o tym słyszeć. Z tymi
kościelnymi przepisami to jakiś obłęd. – Rzuca okiem
w stronę schodów. – Jest teraz na górze. W ogóle się nie
odzywa, nawet już nie płacze. Noc była straszna. Umyła
Dolores jak niemowlę, nawet paznokcie i włosy. Ja nic nie
mogłem zrobić. – Wstaje i podchodzi do schodów. – Niech
pan ze mną idzie, señor Rubio, niech pan ją zobaczy.
Schody kończą się niewielkim podestem. Po jego obu stro-
nach są dwa pokoje. Wchodzę za panem Ramosem do jednego z nich. Strop jest tak nisko, że nie mogę się wyprostować.
Ściany są pomalowane na jasnoniebieski kolor. Przykryte
białym prześcieradłem łóżko jest przystawione wezgłowiem
do ściany, pomiędzy dwoma okienkami. Leży na nim Dolores, cała w czerni. Włosy ma zaplecione, oczy zamknięte,
ręce złożone jak do modlitwy, na skrzyżowanych kciukach
zapleciony różaniec.
Señora Ramos siedzi na krześle przy łóżku. Nie podnosi wzroku. Don Carlos podchodzi do niej. Ja staję po
drugiej stronie łóżka. Pan Ramos obejmuje żonę za szyję
i coś jej szepcze do ucha, ale ona nie reaguje. Mąż wzrusza ramionami, a potem znów zaczyna płakać. Nie mogę
oderwać oczu od Dolores; nie mogę uwierzyć, że jest martwa.
– Może ją pan pocałować, señor Rubio. Teraz już można. – Patrzy na mnie; głos ma cichy i zmęczony. Wzdycha
ciężko i opuszcza wzrok. – Proszę ją pocałować po raz ostatni, señor Rubio.
Nachylam się, opieram jedną ręką o łóżko i próbuję się
opanować. Złożone dłonie Dolores wyglądają jak żagielek

pochylony pod naporem wiatru. Pani Ramos nie patrzy na mnie; słyszę jej cichy płacz.

Nie mogę dłużej, nie wytrzymuję tego. Odwracam się i wychodzę. Przesuwam ręką po drewnianej poręczy schodów, czuję zapach wilgotnego wapna z pobielonych ścian. Wychodzę na patio. Don Carlos zamiata podwórze. Przestawia krzesełka z wyplatanymi siedzeniami i wymiata piach spod stołu. Porusza się w zwolnionym tempie. W moich uszach dzwoni pustka.

– Czy mogę w czymś pomóc, señor Ramos?

Potrząsa przecząco głową i zamiata dalej.

– Pójdę już, señor Ramos. Przyjdę jutro.

Kiwa głową. Wychodzę na ulicę.

Rozdział XXIV

Na przedzie idzie ksiądz z panią Ramos. Ludzie wychodzą przed domy, żeby popatrzeć. Wszystko dokoła jest oślepiająco białe. Utkwiłem wzrok w czarnych plecach mężczyzny idącego przede mną. Trumna nie jest ciężka, ale muszę iść schylony i boli mnie grzbiet. Wychodzimy za granice miasteczka i kierujemy się w stronę kościoła.

Furtka cmentarna jest zamknięta na klucz. Nie słychać bicia dzwonów. Na miejscu czekają na nas dwaj mężczyźni w czerni; jeden ma czarny lekarski neseser, drugi aktówkę. Kładziemy trumnę obok stołu z białym, marmurowym blatem. Podchodzimy z don Carlosem do pani Ramos, która stoi z opuszczoną głową. Jej twarz zasłania gęsta czarna woalka. Pan Ramos jest kredowobiały w jaskrawym świetle słońca. Ksiądz przyzywa mnie gestem. Przedstawia mnie urzędnikowi reprezentującemu miejscowe władze. Drugi mężczyzna to lekarz z Marbelli. Proszą mnie, żebym się nie oddalał.

Pomagam otworzyć wieko trumny. Czuję nikły zapach jakby zwietrzałej wody kwiatowej. Przenosimy ciało Dolores na stół. Lekarz zgina jeden z jej sztywnych przegubów i pisze coś na formularzu rozłożonym na brzegu stołu. Urzędnik zaczyna odpinać suknię Dolores. Szybkim ruchem zsuwa ją z ciała zmarłej. Dolores jest upiornie blada w świetle słońca. Urzędnik opiera jej głowę na żłobionym kamiennym podgłówku, strzepuje wąskie, białe prześcieradło i przykrywa ją.

Ksiądz podaje lekarzowi świadectwo zgonu. Lekarz spogląda na nie, potem podnosi prześcieradło i rozchyla sztywne nogi Dolores. Na wewnętrznej stronie uda, tuż pod ciemnym trójkątem włosów, zieje głęboka rana. Wiem, że jej tam nie było. Musiał ją zrobić lekarz z Torremolinos, żeby upozorować nieszczęśliwy wypadek. Chryste, co za potworność! Zaczynam płakać i czuję, że za chwilę zemdleję, więc wychodzę przed cmentarz.

Trzymając się muru, usiłuję się skupić na ptakach skaczących po żwirze ścieżki, na czymkolwiek, byleby odwrócić myśli od tego, co się dzieje. Ptaki dziobią nasiona, które spadły z rosnących tu sosen. Nasiona są twarde, gładkie, wypadają im z dziobów. Po raz pierwszy w życiu zastanawia mnie to, że ptaki nie mają palców ani rąk i że jest to cena, jaką płacą za posiadanie skrzydeł. Wykonuję gwałtowny ruch i spłoszone ptaki odfruwają. Jeden ląduje na murze, po chwili wzbija się w powietrze i siada na sośnie. Przeskakuje z gałęzi na gałąź, a potem zrywa się do lotu. Zatoczywszy krąg nad kościołem, rozpływa się w powietrzu. Wsuwam nerwowo ręce do kieszeni, wyjmuję je i wracam na podwórze.

Lekarz sięga do nesesera i wyciąga małą ręczną piłę, kleszcze i skalpel. Nie wierzę własnym oczom.

– Co pan zamierza zrobić?

Patrzy na mnie przez ramię.

– Przeprowadzić autopsję, señor.

Tego już za wiele. Rzucam się na nagie, zimne ciało Dolores i przykrywam je sobą.

– Nie. Dosyć tego! Dosyć! Przestańcie!

Mam wrażenie, jakbym odpływał, jakbym opuszczał własne ciało. Potem czuję ciepło, słońce świeci mi w oczy. Zlany potem krzyczę, serce wali mi jak młotem. Z trudem oddycham. Obracam się gwałtownie i uderzam ramieniem w oparcie kanapy. Rozglądam się dokoła i stwierdzam, że jestem u siebie. Ktoś musiał mnie tu przywieźć z cmentarza. Mam na sobie sportową koszulę i dżinsy. Na koszuli widzę jakieś okruchy, przy kanapie stoi butelka piwa. Czuję, że muszę iść do toalety.

W pierwszej chwili boję się ruszyć. Nie chcę przerwać łańcucha nowych zdarzeń. W końcu idę do łazienki. Zasuwka nie jest wyrwana. Drzwi nie stawiają oporu. Wchodzę. Nigdzie nie ma śladu tego, co się tu stało. Nie mogę w to uwierzyć, boję się snuć domysły. Powoli dociera do mnie, że to rzeczywistość, że wszystko pozostałe było sennym koszmarem. Dolores żyje.

Nagle coś we mnie pęka i uświadamiam sobie, jak bardzo ją kocham, jak wiele dla mnie znaczy. Muszę jej to powiedzieć. Chcę, żeby wiedziała.

Wybiegam z domu. Jest pięknie, czuję intensywny zapach ziemi i roślin; wcześniej broniłem się przed tym, jakbym się bał żyć pełnią życia. Zawracam z drogi do miasteczka i biegnę w stronę Mijas. Wiem, że Dolores musi być właśnie gdzieś tam. Biegnąc ku słońcu, prawie nie czuję ziemi pod stopami, które wzbijają rudawy pył; czuję, że mógłbym tak biec w nieskończoność.

Potem widzę, jak wyłania się zza zakrętu. Przystaję, żeby poczekać, żeby przedłużyć tę chwilę, żeby ją w pełni przeżyć. Wciąż nie dowierzając, pragnę, żeby to była naprawdę Dolores. Patrzy w ziemię, więc dostrzega mnie dopiero, kiedy wychodzę na środek drogi. Jedzie „po damsku", trzyma na podołku koszyk. Jest piękna! Uśmiecha się smutno, ale widać, że jest szczęśliwa i mile zaskoczona moim widokiem.

Zatrzymuję Jozuego i wyciągam do niej ręce. Wsuwa ramię w pałąk koszyka i ześlizguje się z grzbietu osiołka prosto w moje ramiona. Trzymam ją mocno, wszystko przychodzi mi lekko, bez wysiłku. Jedyną przeszkodą jest język, mój kulawy hiszpański. Nie wiem dokładnie, co mówię, ale jest w tym wszystko, co chcę powiedzieć. Już nigdy nie będę samotny. Cały drżę z radości i z lęku przed tym, co jest dla mnie tak nowe i czego dotąd nie znałem. Odsuwam od siebie Dolores na długość ramienia.

– Czy wyjdziesz za mnie, Dolores? Czy urodzisz nasze dziecko?

Widzę łzy na jej twarzy. Jest taka piękna. Patrzy mi prosto w oczy, z podniesioną głową.

– A chcesz tego, Rubio? Naprawdę tego pragniesz?

– Najbardziej na świecie, Dolores.

Uśmiecha się do mnie i całuje mnie wciąż uśmiechniętymi ustami. Ona wiedziała wszystko od początku, czekała tylko, z nadzieją, że i ja sobie to w końcu uświadomię. Koszyk zsuwa się jej z ramienia, kiedy podnosi rękę, żeby objąć mnie za szyję. Wysypują się z niego na piaszczystą drogę kwiaty i zielone źdźbła trawy.

– Zabierz mnie do swojego domu, Rubio.

– Do naszego domu, Dolores, naszego gniazdka, przystani dla nas i dla naszych dzieci, naszego azylu.

– Weź mnie tam, Rubio.

Pomagam jej dosiąść Jozuego i schylam się, żeby podnieść koszyk. Zbieram rozsypane kwiaty i podaję koszyk Dolores.

– Nie, Rubio. To nie ma teraz znaczenia.

Przechyla koszyk; kwiaty i trawa wysypują się znów na drogę. Podnoszę wzrok. Dolores patrzy mi przez chwilę w oczy, po czym odwraca głowę. Przyglądam się niewinnym roślinkom i nie wiem, co mnie nagle nachodzi: zaczynam je tratować, wgniatać, wwiercać obcasem w ziemię. Ogarnia mnie jakaś furia. Spłoszony Jozue uskakuje w bok. Nie mogę, co więcej, nie chcę się powstrzymać! Depczę, tańczę, tratuję, wiruję, wreszcie wyskakuję w powietrze, sięgając nieba. I cały czas krzyczę, wrzeszczę jak opętany.

– NIE! NIE! Posłuchajcie mnie! To nasze dziecko! Kochamy je! Kochamy życie! Kochamy się wzajemnie! Słuchajcie! Będziemy żyć i zawsze się kochać! To nasze życie, nasze istnienie! Wysłuchajcie mnie! NIE! NIE!

Wykrzykuję to po angielsku i płaczę. Potem zaczynam się śmiać. Śmieję się jak szalony, gdzieś hen, pod niebem. Przytupuję i śmieję się do Dolores. Ona zaczyna mi wtórować i klaskać w dłonie. Wykonuję coraz większe skoki, kręcę piruety, coraz mocniej przytupuję. Jeszcze raz dla pewności powtarzam to samo po hiszpańsku. Śpiewam i tańczę dla mojej żony, dla mojego dziecka. Klaszczę, przytupuję, zatracam się w tym szalonym tańcu.

W końcu wyczerpany zatrzymuję się. Powłócząc nogami, zbliżam się do Dolores i kładę jej głowę na kolanach. Ona kładzie mi dłoń na głowie. Jestem zlany potem.

– Ten wielki Amerykanin, señor Rubio, umie tańczyć i śpiewać, naprawdę. Kiedy się pobierzemy, będziemy wciąż z sobą tańczyć, Rubio. A teraz zabierz mnie do domu.

Prowadzę Jozuego z Dolores na grzbiecie i czuję się jak pan młody, jak facet z kiczowatej kartki świątecznej. Jestem szczęśliwy. Szczęście wydaje się czymś nieosiągalnym, dopóki się go nie zazna. Zaczynam zapominać o całej grozie życia, o tym, jak może być straszne. Wiem jednak, że tak naprawdę nigdy nie zapomnę, że ta groza zawsze będzie się czaić w najgłębszych zakamarkach mojej świadomości. Dotarłszy do domu, zostawiamy Jozuego przed domem, żeby się pasł, i idziemy od razu do łóżka. Kochamy się. Kochamy się z pasją, bez lęku i zahamowań. Kochamy się z radością, którą możemy się dzielić. Wchodząc w nią, czuję się tak, jakbym odwiedzał swoje dziecko, docierał do jego bezpiecznej kryjówki z pełną świadomością, że ono tam jest, z pragnieniem, by się dowiedziało, jak bardzo je kocham i jak bardzo jest przeze mnie oczekiwane. To, że jesteśmy tu w trójkę, daje mi upragnione poczucie pełni.

Potem rozmawiamy o tym, jak powiadomić o wszystkim rodziców Dolores, i o terminie ślubu. Ja nalegam, żeby był to ślub kościelny, Dolores jest wszystko jedno, twierdzi, że już jesteśmy małżeństwem. To, że możemy wziąć ślub kościelny, cieszy ją tylko ze względu na matkę.

Zasypiam, przygniatając ją swoim ciężarem, czuję całym sobą jej ciepłe delikatne ciało.

Rozdział XXV

Odzyskuję przytomność i widzę zbliżającego się do mnie księdza. Lekarz wciąż stoi, trzymając swoje instrumenty w dłoni. Patrzę na Dolores, która leży pode mną martwa, biała, zimna.

– Dość tego, panowie! Ten człowiek ma rację. Wystarczy! Dziewczyna może zostać pochowana na święconej ziemi.

Wstaję. Wszyscy stoją nieruchomo, jakby skamienieli. Musiałem zemdleć; jestem zdumiony, jak wiele mogło się zdarzyć w ciągu kilku sekund! Płaczę.

Zaczynają bić dzwony, nie mogę znieść tego dźwięku. Brama jest teraz otwarta. Wychodzę, kieruję się w stronę domu. Ludzie z miasteczka zdążają do kościoła. Przyśpieszam kroku. Biały pył pokrywa moje buty, słońce przypieka ramiona. Rozluźniam krawat i zdejmuję marynarkę. Niebo jest czyste, bez jednej chmurki.

Już w domu, kiedy kładę się w chłodnym pokoju, zaczyna mi huczeć w głowie. Próbuję usnąć. Budzę się późnym popołudniem. Wstaję, rozbieram się i idę do łazienki. Zimna woda spływa mi po plecach i nogach cienkimi strużkami. Namydlam się i podstawiam twarz pod silny strumień wody z natrysku. Potem zakręcam kurek i wycieram się czystym ręcznikiem.

Podnoszę deskę sedesu; widzę maleńkie czerwone plamki. Osuwam się na kolana i dostaję torsji.

W końcu idę do łóżka, wpełzam nagi pod koc, zwijam się w kłębek i patrzę, jak światło dnia gaśnie powoli za oknami.

Rano przykrywam meble prześcieradłami, zaciągam zasłony. Pakuję część sprzętów i ubranie do samochodu.

Do południa wszystko jest gotowe. Siedzę w żółtawym półmroku salonu i wypijam ostatnią butelkę piwa. Potem szukam kawałka papieru i koperty. Co właściwie powinienem napisać?

Zakręcam wodę, odłączam wiatrak i agregat, zamykam wszystkie drzwi i okna. Wkładam klucze do koperty. Jeszcze raz obrzucam wszystko spojrzeniem i wychodzę.

W miasteczku, nie wyłączając silnika, zostawiam samochód u stóp wzgórza, na którym stoi dom Ramosów. Wsuwam kopertę pod drzwiami. Nikt się nie pojawia.

Wsiadam do samochodu i jadę wolno przez miasteczko. Warkot silnika odbija się echem od ścian domów.

Już za miastem zatrzymuję się na chwilę, oglądam się za siebie, potem wrzucam jedynkę i ruszam w dół po zboczu.

Salamandra – książki, które się czyta

$ALAMAN\)RA